バッテリー

あさのあつこ

目次

1　おろち峠《とうげ》を越えて

おろち峠を越えると、山の斜面には、まだ雪が残っていた。右側に雪の山。左側は、谷。

「三月も終わりなのに、雪か」

巧《たくみ》は、助手席から窓の外に目をやった。雪の白さが、まぶしかった。

「えっ、雪、どこに？」

後ろのシートで、青波《せいは》がぼやけた声を出す。今まで、母のひざをまくらにねむっていたのだ。

「わぁ、ほんまじゃ。パパ、とめてや。車、とめて」

父と母と巧と青波。四人ののった自家用車が、道の左、白いガードレールの側にとまる。

巧は、口の中で、小さく舌うちした。雪のことなんか、言わなきゃよかったと思った。

一時間ほど前、青波は、車に酔ったと言った。すごく気持ち悪い、吐きそう。そう言って目をとじて、つばを何度も飲みこんだ。青波の気分がなおるまで、小さなドライブインで、三十分近く時間をつぶしたのだ。そのとき飲んだオレンジジュースのべっとりした甘さが、まだ、舌の奥に残っている。

「青波。ほら、上着、着なくちゃだめよ。また、熱が出るから」

母の真紀子《まきこ》が、水色のジャンパーを持って、青波の後を追う。青波は、うわっと声をあげながら、斜面をかけ上がり、足をすべらせ、雪の中に転がった。真紀子が、短くさけんだ。

「青波、だいじょうぶ？　ほら、ばかなことしないで。風邪ひくんだから」

「平気。ママ、すごく冷たいで。ほんまに雪じゃ」

「だから、風邪をひくって言ってるでしょ。もうすぐ四年生になる子が、雪ぐらいではしゃいで」

母と弟の声を聞きながら、巧は、ゆっくり車をおりた。谷間に向かって立ち、大きくのびをする。肩から背中にかけての筋肉を思いっきりのばしてみる。気持ちがいい。せまい助手席に座っている間に、こわばってしまった身体《からだ》が、ほぐれていく。大きく深呼吸。軽いストレッチ。

「巧、おまえ、また背がのびたな」

父の広《ひろし》が、側に来て、たばこに火をつけた。

「母さんより、だいぶ大きいだろ。おれとあんまり違わないか」

身長？　百六十七センチあるよ、父さん。去年の夏には、母さんを追いこしてた。六年生の一年間で、九センチ、のびたんだぜ。

答えようと思った。しかし数字をぐちゃぐちゃ口にするのは、めんどうくさい。

「四月から中学生だから」

それだけ言って、もう一度、深呼吸する。

「中学生か」

広はつぶやき、けむりをゆっくり吐きだした。

風が吹いてくる。暖かい風だった。けむりが横に流れた。

「なっ、巧、おもしろいだろう」

「けむりが？」

たばこをはさんだ右手を振って、広が笑った。

「違う、違う。この峠さ。山には雪が残ってるのに、谷のほうは、春だろう」

巧は、ガードレールに手をついて、谷をのぞきこんだ。

名前さえ知らないたくさんの木々が、風に揺れている。緑のつやつやとした葉っぱをつけている木もあるが、ほとんどは、丸はだかの枯れたような枝を揺らしていた。はるか下に、川の流れが見えた。渓流《けいりゅう》の音が聞こえる。雪解け水を集めての水量の豊かさだろう流れは、ひえびえと青く生き物の姿はどこにもなかった。

春を感じるほど、暖かな景色ではない。

広は、どうだと尋ねるように、息子の顔をのぞきこんだ。巧は、谷底の川を見おろして、黙っていた。嫌いな風景ではなかった。花も葉もつけない枝々も生き物の気配を感じさせず流れる川も、余分なものを一切《いっさい》拒否しているようで好ましくさえ感じた。しかし、自分の感じたことを父にむかって言葉にする気はない。誰に対しても自分の内にあるものを言葉にして語りたいとは思わない。だから口をとじ黙って、谷間の風景を見ていた。

「春が近づくとな、木の幹の色がな、明るくなるんだ。雨が降るごとに明るくなっていく。そのうち、新芽が出て、谷全体が、薄い緑のベールをかけたみたいに見えるんだ。今は、その一歩手前というとこだな」

たばこを指にはさんだまま、広はしゃべっている。

「このおろち峠はな、おもしろいんだ。地形の関係で、山側には四月の初めぐらいまで雪が残るのに、谷のほうは、もう新緑が始まろうとしてるんだからな」

季節によって、葉の色が変わるぐらいのことは知っている。しかし、幹の変化までは、わからない。

「無理だよ」

「え？」

「木の幹の色なんて、わかりっこないよ」

目を二、三度しばたたかせて、広は、ああと、つぶやいた。

「そうか。そりゃそうだな。東京で生まれて、博多、大阪、千葉、岡山。おまえも青波も都会育ちなんだ。山の木のことなんか、わからんであたりまえか」

巧は、首をまげて父の横顔を見た。目の下にくまができている。耳の上に白髪《しらが》が目立った。

「父さん、疲れたって顔してる」

「ああ、岡山のマンションを出て、三時間近く運転してたからな。いささか、疲れてるかな」

違うだろう。巧は、声には出さず、つぶやいてみる。父さんは、ずっと前から、そんな疲れた顔してたよ。

巧が父の目の下のくまに気がついたのは、二年前。岡山に引っ越してきて、一年ほどたってからだった。

くまだけではない。がっしりした肩が少し下がって、顎《あご》が細くなった。痩せたのだ。

「ねえ、どこか悪いんじゃないの。病院へ行ったほうがいいわ」

「うん、ちょっと疲れすぎたかな。仕事が一段落したら、検査してもらうか」

「いつ一段落するの？」

「さあな」

「さあなって、わからないわけ」

「わからんさ。電気メーカーの営業なんて仕事、どこで区切りをつけられるのかな」

「自分の身体のことなのよ。無理しても病院に行かなくちゃあ」

そんな父と母の会話を聞いたこともある。しかし、検査をする前、去年の初夏、広はたおれた。著《いちじる》しい肝機能の低下。わずかながら心臓の肥大もみとめられる。長期の安静が必要と診断された。

二か月の入院の後、広は帰ってきた。少し太ったけれど目の下のくまだけは残っていた。

そしてこの春、また転勤。広島と岡山の県境にある新田《にった》という市だった。人口が六万にとどかない地方都市だ。広と真紀子が生まれ育った街でもあった。このおろち峠のふもとにある。

「兄ちゃん」

氷のように冷たい手が、巧の手首を握った。

「ほら、雪の玉つくった」

青波が、テニスボールぐらいの雪玉をさし出す。

「ああ、いいのができたな。投げてみろよ、青波」

「うん」

頷いて、青波は、谷のほうに身体を向けた。それから、あれっと声を出した。

「山には、あんなに雪があるのにな、こっちは、もう春が来てるみたいじゃ」

広と巧は顔を見合わせた。

「なんで、そんなことわかるんだ」

巧が尋ねる。

「だって、木の色がきれいじゃもの。ほら、きらきらしとる」

家族の中で、青波だけは、方言を使う。地方の言葉で、きらきらしとると言われたら、枯れ木にしか見えなかった木々が、急に生きいきと目に映ってきた。

「そうか、青波にはわかるか。たいしたもんだ」

広は、本気で感心したようだった。青波は、にっと笑うと、腕をまっすぐにのばした。

「あの枝のとこ、鳥がおる」

かなりはなれた枝の先に、腹の赤い鳥が一羽、とまっていた。気がつかなかった。スズメほどの大きさの鳥は鳴くでもなく動くでもなく、枝とともに風に揺れている。風景にとけこんだ小鳥を、巧は青波のように見定めることができなかったのだ。

「あっ、たぶんヤマガラかな」

広の言葉が終わらないうちに、青波が雪の玉を投げた。山なりの白い玉は、すいこまれるように、ヤマガラのとまった枝の先に当たった。鳥が飛びたつ。枝がかすかに揺れた。

巧は、目を細めて枝の先を見つめた。

「さあ、もういいかげんに出発しましょ。日が暮れちゃうわ」

真紀子が、車にもたれて三人を呼んだ。

「えっ、もう？　つまんないの」

青波は雪玉を持っていた手を振りながら、車のほうに歩きだした。

「青波」

青波が振りかえり、兄の顔を見あげる。

「今、狙ったのか？」

「え？」

「鳥だよ。狙って、投げたのか？」

青波の顔がゆっくり横に振られた。

「違うのか」

「ちがう。もし、当たったらかわいそうじゃもの」

「じゃ、枝を狙ったのか」

「そうじゃ」

ちょっと首をかしげて、青波は、くすっと笑った。

「雪玉投げたのが、兄ちゃんでなくてよかった」

「どういう意味だよ」

「だって、兄ちゃんが当てよう思うたら、まっすぐ鳥に当てれるじゃろ。兄ちゃんの球なら、鳥が死んどったかもしれん」

「青波、巧、早く」

真紀子の声に引っぱられるように、青波が車の中にとびこんだ。

巧は、身体《からだ》を回して、谷のほうを向いた。風が強くなった。枝がかなり揺れている。

あの先の小さな鳥に、当たるだろうか。

腕を大きく振りかぶって、足を上げた。ステップ。思いっきり右腕を振りおろす。

「ストライク」

窓からのぞいて、青波が大きな声を出した。

ストライク？　いや、はずれたな。

腹の赤い小鳥の横を球がかすめていく。そんな場面が頭の中に浮かんだ。唇をかみしめて、巧は助手席にのりこんだ。

おろち峠は、その名前のとおり、道が大蛇のようにまがりくねった峠だった。

「今は、舗装してあるし、車が二台、充分にすれ違うことができる幅《はば》があるだろう。だけどひとむかし前は、ひどかった。せまくてガードレールもない場所もあってな、よく事故が起こったもんだ。パパの父さんや母さんも、つまり、おまえたちのじいさんとばあさんだけどな、ふたりとも、この峠で死んだんだ。もう十五年も前だけどな。追いこしのトラックに接触されて、軽トラごと谷底だ。ひどいもんだったな」

峠をおりるあいだ、広はずっとしゃべり続けた。巧は、ジャンパーのポケットに右手をつっこむ。そこには、いつもボールがあった。軟式ボールC号。岡山の街で、三年間、握り続けてきたボールだった。

「ほら、もうすぐ新田市にはいるぞ。丘の上に白い建物が見えるんだ。そこが、新田《にった》高校。パパとママがかよった高校だぞ」

巧は、人さし指と中指で、ボールをはさむように握ってみた。これが、フォークの握り。

中指をぬい目にそって重ね、ひねる。これがカーブ。そして、スライダーは……。

「すごいんじゃな」

青波の声が、車の中に響いた。

「十五年前いうたら、ぼく、まだ生まれてないじゃろ。ぼくの生まれる前に、死んどるなんてすごい」

真紀子がふきだした。まっすぐに肩《かた》までのびた髪《かみ》が揺れる。

「まったく青波ったら、おかしいわね。それならママのお母さんもすごいわよ。なくなって今年で九年」

「すごい、九年も死んでるなんてすごい」

今度は、広が笑い声をあげた。

「青波。だからおまえには、おじいちゃんひとりが残ってるってことだぞ」

青波は、しばらく黙った後、あっ、わかったと運転席のほうに身をのりだしてきた。

「パパのママとパパが死んで、ママのママも死んでて、じゃけん、ママのパパが残っとるんじゃ」

「そのとおり。これから、そのおじいちゃんの家で暮らすんだからな。かわいがってもらえ」

「だいじょうぶ。青波なら、誰からもかわいがられるわよ。ねえ、青波」

青波が柔らかな短い笑い声で答える。巧は、手の中のボールを握りしめた。

パパのママとパパが死んでか……まったく、たいした引き算だな。けど、残った答えがママのパパでよかったぜ。おれは、そのじいさんに用があるんだ。

峠を十五分もおりていくと、新田の街がはっきりと見えてきた。

ビルやテレビ塔もあるが、ほとんどは黒い屋根瓦の小さな家々だ。遠くに雪をかぶった山々がはっきりと見えた。市中を流れる川だけが、空の青さを映して美しい。

陰気そうなとこだな。

瀬戸内《せとうち》の明るい光になれてきた目には、峠の下の街は、鉄色の古い置物のように、みょうに黒ずんで見えた。

「ねえ、パパってサセンなん?」

青波が、また後ろの座席から身をのりだしてきた。車の中が、静かになる。

「青波、左遷《させん》なんて言葉、よく知ってたな」

広は、そう言ってハンドルを右にきった。

「うん、だって中本《なかもと》のおばちゃんが言うたもの。青波ちゃんのお父さん、サセンなのかしらって。なあ、サセンって何? 引っ越《こ》しして、おじいちゃんの家に行くこと?」

「中本さんが、そんなこと言ったの」

真紀子が、つばを飲みこむ音がする。

巧は、ほんの少し首をまげて母の顔を見た。細くとがった顎も、切れ長のきつい目も、巧がそっくりだといわれる顔だ。その顎がひきしまり、形のいい唇が、一の字にむすばれていた。

同じ社宅マンションの同じ階に住む「中本さん」と真紀子は、わりに親しかったはずだ。ショックを露骨に浮かべた母の顔から視線をそらす。

甘いな母さんも。中本のおばはんなら、左遷ぐらいのこと平気で言うさ。もっとも、息子のほうは、ずいぶんましな奴だったけど。

中本修《おさむ》とは、少年野球チームのホワイトタイガースで、ずっとバッテリーを組んでいた。一年下で身体も大きくなかったが、肩の強さと根性だけは、あまるほど持っていた。

「原田さん、引っ越しなんて、ひどいですよ」

巧が新田市に行くと知ったとき、修は顔をゆがめ、今にも泣きそうな表情になった。

「おれ、来年、中学に入ったら、また原田さんとバッテリー組めるて思うてたんですよ」

「しかたないだろ。親に従うのは、子のつとめ」

「原田さんが、誰かに従うなんてこと、あるわけないでしょうが。なんとか、残ってくださいよ」

修は、こぶしで目じりに、にじんだ涙をぬぐった。

「おれが原田さんの球をちゃんとキャッチングできるようになるまで、どんくらい練習したと思うてるんですか」

「練習しなけりゃ、おれの球をとれなかったんだろ。自分のための練習で、おれに恩をうるなよ」

「きついな」

修は、うつむいてしばらく黙っていたが、ふいに顔を上げると、

「新田に転勤するように、おやじに言《ゆ》うてみようかな」

独り言のように、つぶやいた。

今、新田の街を見ながら、修の言葉を思い出す。

それもいいかもしれないな。新田に転勤なんて決まったら、中本のおばはんがどんな顔するか見ものだ。

「何がおかしいの？」

背中の後ろで、真紀子のきつい声がした。

あ、にやついてたかな。

頬に手をやる。しかし、答えたのは広だった。

「いや、ちょっと部長に言われたこと思い出してさ。苦笑いだよ。『原田《はらだ》くん、故郷《ふるさと》でのんびり仕事ができるなんて最高だよ。会社の恩情だと思ってくれ』だってさ」

「たいした恩情だわ。だけど、ほんと言うと新田に帰ってこれたの、よかったわよ」

真紀子は、車の窓ガラスを指先でたたいた。

「空気が都会とはぜんぜん違うでしょ。青波の身体《からだ》には絶対いいわよね」

青波は生まれたとき、二千グラムに満たない未熟児だった。異常なほど強い新生児黄疸《おうだん》があらわれ、三か月近くの入院。アトピー性皮膚炎、熱性けいれん、肺炎、気管支炎、インフルエンザ、急性腎炎。これまで、青波が経験した病気は、十の指にあまるほどだった。大阪にいたときは、下着や洗面用具をつめた『せいはのにゅういんセット』が、いつも棚の上に用意されていた。

「ねっ、青波。いい空気すって、おいしい物たくさん食べて元気になろうね」

「ぼく元気じゃが。このごろ病院行ってないで」

青波はトレーナーをまくって、くの字に腕をまげた。

「おっ、すごい。たくましいわ、青波」

真紀子が拍手する。車の中の空気がふっと柔らかくなった。

巧は、目をとじる。まぶたのうらがしびれるような眠気が、ゆっくりとやってきた。

2　梅の家

冷たい。そう思って目をあけた。青波の手が頬にのっていた。

「兄ちゃん、着いたで。おじいちゃんのうち」

「らしいな」

「すごいよう寝てたな。ぼく、何度も呼んだんで」

「おりるぞ」

車からおりると、石の門があった。一歩、踏《ふ》み込む。甘い香《かお》りがした。

梅だ。

見あげるほど、大きな梅の樹《き》だった。幹も枝も太い。紅《くれない》の花が重なるように咲《さ》いて、息がつまるほどの芳香をはなっていた。

この梅、見たことある。

重なり合った鮮やかな紅の色と、身体《からだ》全部をつつみこむ匂いを、巧は覚えていた。遠い昔、この樹の下に立っていた。春の初め、朝だったのだろう。立ちこめる狭霧《さぎり》の中、紅の梅は甘く香《か》をはなちながら密《ひそ》やかに花弁を開いていた。早春に咲く花の香と静寂が記憶の淵《ふち》から浮かびあがってくる。

「巧、よう来たのう」

名前を呼ばれて、振りかえる。真っ白な頭が目にとびこんできた。みごとな白髪《しらが》だった。その下に、日に焼けた大きな顔があった。鼻も目も大きい。白い口ひげの下の唇だけが、形よく整っている。

「青波。巧。おじいちゃんよ」

巧は、だまって頭を下げた。青波は、巧の後ろにかくれるようにして笑っている。

「青波に会うのは初めてじゃのう。うん？　何がおかしいんじゃ」

「だって、おじいちゃん、この梅の精みたいじゃもん」

青波は、梅の樹を指さした。

「大きくて、ごつごつしとる。あっ、けど頭の色がちがう」

「梅の精、こりゃどうも、えらいこと言《ゆ》われたのう」

「おかしいでしょう、この子。すごくおもしろいこと言うの。でもおしゃべりは後にして、車から荷物おろしてね。明日の朝には、荷物が全部とどくんだから、今日の荷物は、今日じゅうに片付けて。今日から、青波も巧もひとりひと部屋なんだから」

「そうじゃ。家は古いが部屋だけはぎょうさんあるぞ」

やったと、青波がばんざいをする。巧は、大型のショルダーバッグを肩にかけて、もう一度、祖父の顔を見た。

この人が、井岡洋三《いおかようぞう》か。あんがい小さいな。

祖父が、ふいに顔を向けてきた。目が合う。黒というよりこげ茶に近い瞳。

巧は、顔をそむけて歩きだした。歩きながら、あの瞳の色も覚えていたと思った。


巧は、二階南向きの六畳の部屋をもらった。

窓をあけると、門の側の梅と遠くの山々が見えた。車の中から見たときより、雪の白さが鮮やかだった。

今までは、六畳ほどの部屋をカーテンで仕切って、青波とふたりで使っていた。自分だけの場所ができたことは、やはり嬉しい。ゆっくり部屋の中を見回してみる。たしかに壁も天井も古い。カギがさびついたので取りかえたという新建材のドアだけが、白っぽく浮きあがって見えた。窓から流れこんでくる梅の香りを大きな深呼吸とともにすいこむ。

ノックの音がした。

「巧、どうだこの部屋、気にいったか」

広だった。トレーニングウェアの巧を見て、目をしばたたかせた。

「どうした、着がえたりして？」

「走ってくる」

「今すぐにか？」

「部屋、片付いただろ。だから……」

「おいおい、さっそくトレーニングか。無理するな」

巧は黙っていた。今日走らなければ、明日、ほんの少しだが確実に身体は、重くなる。体重の増減ではなく、筋肉のどこかがだれるのだ。巧は、トレーニングを休んだ後のわずかな肉体の重さと気怠《けだる》さが嫌だった。しかし、そのことを高校時代、美術部だったという父に話してもわからないだろうし、説明する必要もないと思った。

「そうか。周りのようすがわかって、いいかもしれんな。それにしてもいい香りだ」

広も深呼吸する。

「巧、田んぼの向こうに小さな林があるだろう。その後ろに建物が見えるか？　クリーム色の建物。あれが、新田東中《にったひがしちゅう》だ。四月からかよう学校だぞ」

「知ってるよ。野球部はそんなに強くない。去年、県大会のベスト8が最高。それも主力の三年生が卒業したから、今年の力はかなり落ちる。地区大会の優勝さえ、あぶないと言われている」

広が軽く咳をした。

「調べたのか」

「自分が入る部だから。誰も教えてくれなきゃ、調べるよりしょうがないだろう」

「弱いと、巧にはものたりないかな」

巧は、はっきりと首を横に振った。

「しかし、地区大会でもたもたしてるようじゃあ、全国大会なんて絶対行けないだろう」

「行くさ」

巧が、窓をしめる。梅の香りがとぎれた。

「勝ってあたりまえのチームで全国大会に出るより、原田がいたから行けたって言われるほうが、おもしろいじゃないか」

広は、息をすいこんだ。のどの奥に何かがつまったようで、言葉が出てこなかった。巧が言ったことは、ただの冗談《じょうだん》や強がりではないとわかっていた。野球に関するかぎり、巧はいつも本気だった。

「父さん、そんな顔するなよ」

巧が、めずらしく声を出して笑う。

「だって、ホワイトタイガースだって、たいしたチームじゃなかったもの。だけど、ちゃんと中国大会までは行っただろう。準決勝で負けちゃったけど」

(原田巧がいたから行けたというわけか)

そう言いかけて、広は息を吐いた。のどの奥が少し楽になった。

「なんで、教えてくれなかったのさ」

巧が、まっすぐ顔を向けてきた。笑みはもう、どこにもなかった。

「新田東のことか。いや、そこまで気が回らなかったな」

「じいちゃんのことだよ」

巧の顔が横を向く。遠くを見るように、目が細まった。

「じいちゃんが、むかし、高校野球の監督してたこと、なんで黙ってたのさ。かなり有名な人だったんだろ。新田高校をひきいて、甲子園出場春四回、夏六回。井岡洋三が十四年前監督をやめてから、新田高校の甲子園出場はなし」

「それも調べたのか」

「誰も教えてくれないから」

広は、ポケットのたばこを取り出そうとして、あわてて拳を握った。病気をしてから、たばこは日に三本と決めていた。

「わざと黙ってたわけじゃない。もう、ずいぶんむかしのことだし、今のおまえに関係あるとは思わなかったんだ」

「関係あるかないか、おれが自分で考えるよ」

巧は、帽子をかぶると身体《からだ》を前にまげた。苦もなく、手のひらが床につく。二、三度屈伸運動をくりかえして、帽子をかぶりなおす。

「ランニング、行ってくる」

「巧、もうちょっと話をしないか」

ドアのノブに手をかけて、巧が振りかえる。

「忙しいんだけど」

「中年のサラリーマンみたいなこと言うなよ」

広は苦笑いして、息子に一歩近づいた。

「じつは、父さんと母さんが結婚するとき、じいちゃんに反対されてな。いや、理由はいろいろあったんだろう。野球部のたくましい選手ばかり見てきたじいちゃんには、父さんが、ずいぶん頼りなく映ったのかもしれん。ごたごたして、じいちゃんは結婚式にも出てくれなかった。母さんは、それまでもじいちゃんには、不満があったらしい。野球ばっかりで家族のことなんか考えもしないなんて、言ってたからな。ともかく、結婚してから母さんは、ほとんどじいちゃんに会おうとしなかった。おれの転勤や青波の病気でむちゃくちゃ忙しかったせいもある。だけど、おまえは」

広は、口の中のつばを飲みこんだ。巧は、ノブを握ったまま、動かない。

「おまえは、じいちゃんと暮らしたことがあるんだぞ。青波が生まれたときだ。母さんも産後、身体をこわしてたし、青波は、いつまでも保育器の中だ。おれは、仕事、仕事の毎日だった。どうにもならなくなったとき、じいちゃんが来てくれておまえをつれて帰ってくれた。うん、あのころは、まだ、ばあちゃんも生きていて、すごく嬉しそうな顔で、おまえをだっこしてくれたよ」

巧が、何かつぶやいた。大人って、と聞こえた。

「えっ、なんだ？」

「いや、大人ってさ、知りたいことは何も教えてくれないくせに、なんで関係ないことばっか、しゃべるのかなって思ってさ。おれ、ランニングに行くよ」

巧の長身が、ドアの向こうに消えた。

広は、ポケットに両手を入れて立っていた。右手が、いつのまにかたばこのケースを握りしめていた。

庭に出ると、梅の香《かお》りとともに木の焦げる匂いがした。裏口にまわる。木のはぜる音がして、けむりが目にしみた。

洋三は、ふろ場の焚《た》き口に、薪《まき》を投げこんでいた。巧が近づくのを見て、ランニングかと聞いた。

「わしがここにおると、ようわかったな」

「なんとなくね。じいちゃんが、いつも薪でふろを焚いてたの、覚えてたみたいだ」

「最高だぞ、薪で焚いたふろは。おっ、調子ように燃え出した」

音が強くなり、焚き口の中で炎が渦《うず》まいた。

「じいちゃん、教えてほしいことがあるんだ」

「なんじゃ。ふろの焚き方か。これは年季がいるぞ」

巧は、洋三の隣に座りこんだ。

「変化球、教えてよ」

洋三の手が、薪をもう一本、焚き口におしこむ。鉄のわくで縁どられた焚き口の中でオレンジ色の焔《ほむら》がうねり、グォッと小さな野獣のうなりに似た音をたてた。

「変化球？　カーブか？」

「カーブも。できたらシンカーを」

「なんで変化球なんぞ投げたがる。おまえの年で、あれだけの直球があれば充分じゃろが」

「じいちゃん、おれの球、知ってるわけ？」

「中国大会の準決勝戦。ちょうど広島に用があってな。ついでに見せてもろうた」

準決勝戦。じゃあ、あれを見られたわけだ。

広島でおこなわれた中国大会。準決勝第二試合。ホワイトタイガースは、下関のベルロAというチームと戦った。

負けるとは思わなかった。三回の裏にポテンヒットとエラーで二点取られたときも、負けるとは思わなかった。ホワイトタイガースは、後半攻撃に調子が出るチームだったし、相手のピッチャーの球がそれほど、すごいわけでもなかった。うまくコーナーをつく、ナチュラルカーブさえ気をつければ、打ちくずせるはずだった。事実、最終回七回の攻撃。ヒット三本で一点かえし、なおランナーは一、二塁にいた。ワンアウトで自分の打順が回ってきたとき、巧はちらっと次の決勝戦のことを考えた。打撃はピッチングほど得意ではなかったが、球にさからわず打ちかえすことは簡単だ。胸元にくいこんでバットをおしかえすような力のある球ではない。ここで点を入れ、その裏を0点におさえればいい。自信は充分にあった。一球目ストライク。二球目、三球目ボール。四球目をファウルにしたとき、キャッチャーがタイムをかけた。マウンドに走りよる。キャッチャーの言葉に頷いているピッチャーの顔が、こわばっていた。

つぎの球、打てるな。

確信した。そして、五球目。インコースへの直球。

なめんなよ。

ふみこんで打ちにいったバットは、そのまま空をきった。わき腹に痛みがはじける。足がもつれて、そのまま後ろにたおれこんだ。

「ストライク、バッターアウト」

しりもちをついた巧の前で、キャッチャーが立ちあがり、まっすぐな球をセカンドに送った。飛び出していたランナーにタッチ。あっというまの幕切れだった。

シンカー？　球は、手元でわずかにしずみこんだ。

「ランナーアウト。ゲームセット」

かん高い主審の声。

岡山に帰って、巧は試合のビデオを何度も見た。一回戦のノーヒットノーランの試合も、十個の三振《さんしん》をうばった準々決勝も興味なかった。準決勝の最後の打席。自分のぶざまな空振りのシーンだけをくりかえし見続けた。

「あれがシンカーに見えたか？　アンダースローぎみのフォームじゃったから、インの直球なら、自然にしずむこともある。変化球はノーカウントの少年野球で、審判がストライクをとったんじゃ」

「おれが三振したんだ。シンカーだよ、絶対。なあ、教えてよ」

「おえん」※

※方言で「だめだ」の意

だめだと洋三は言った。

「十二や十三でシンカーなんか覚えてどうする。肘を痛めるのがオチじゃがな。巧、ええ投手いうのは中途半端な変化球を投げるもんのことじゃないぞ」

「わかってるさ。投手としての力なら、おれのほうが、はるかに上だ。中学でも高校でも充分通用する」

「えらい自信だな」

「事実だよ」

「なら、なんでそんなにむきになる？」

許せないんだ。巧がつぶやいた。みょうに低い声だった。

「おれが投げられない球を他のやつが投げられるなんて、許せないんだ」

洋三の手が、薪をつかんだまま、とまった。

「わけのわからんことを言《ゆ》うのお。よその投手が何を投げようが、おまえが許す、許さんていう問題じゃなかろうが。理屈がとおらん」

「理屈なんかどうでもいい。シンカー習って試合で使うつもりもない。ただ、投げられることが、いてっ」

巧は顔をしかめた。洋三が右腕をつかんできたのだ。

「巧、あんまり野球を甘く見るな。ただ、投げられればええじゃと。ばかもん。シンカーを完全にマスターするまでに、この右肘にどのくらい負担をかけると思うとんじゃ。まだ硬球も握ったことのないやつが、なまいきじゃぞ。つまらんプライドのために二度とボールが握れんようなってもええんか。今、おまえがする野球は、まっすぐな球をキャッチャーのミットに投げこむことじゃろが」

洋三の手が、今度は巧の顎をつかんだ。

「巧、自信を持つのもええ。それだけの力はあるじゃろ。けどな、もう少し遠くを見いや。今、ええかげんな変化球を知るより、身体《からだ》ができあがったとき、ほんまもんの球が投げられる投手に、なれるもんならなってみい。野球はな、おまえみたいな小僧が思うてるよりずっと、でっかいんじゃ、このばかもんが」

ぐいっと顎をおされて、思わず後ろに手をついた。しめった土の感触《かんしょく》が手のひらに伝わる。

「ほれ、さっさとランニングに行ってこい」

巧は立ちあがり、ゆっくりと泥をはらった。

「まったく、乱暴だな。怒鳴るなよ、じいちゃん」

突然に、洋三の背中がこきざみに震えた。くくっとこもった笑い声が聞こえる。

「なんだよ、何笑ってんだよ」

「いや、おまえの言《ゆ》うことは、十年前とちっともちごうとらんな」

「十年前……」

「そうじゃ。あれは、おまえが、もうすぐ三つになろうかという時じゃった。ボール持ってきて、カーブ教えてくれ言《ゆ》うたことがあるんぞ。まったくカーブなんて言葉、いつ覚えたんじゃて、ばあさんがあきれとった。おまけにボールをなめるもんじゃから、べとべとになって、それを投げてこられて、おうじょうしたぞ」

「わかったよ。十年も前のことなんて、もういいよ」

洋三は、まだ笑っている。祖父に背を向けて、巧は走りだした。

「門を出たら右にまっすぐ、橋をわたっていくと神社がある。おまえが走るのにはてごろの距離《きょり》じゃ」

後ろ向きのまま、小さく手を振る。門を出るとき風が吹いた。梅の枝が揺れて、香《かお》りがまた身体をつつみこんできた。

巧の足音が遠ざかってすぐ、べつの足音が聞こえた。

「お父さん」

真紀子が、さっきまで息子《むすこ》のいた場所にしゃがみこんだ。

「あいかわらず、薪《まき》のおふろにこだわってるの」

「あたりまえじゃ。ふろのことは、まかせておけ」

真紀子はうつむいて、焚き口の中をのぞきこんだ。

「お父さん、さっき巧がここにいたでしょ。何を話してたの？」

「なに、ちょっとした頼《たの》み事じゃ。断ったけどな。こりゃ、真紀子、そんなにつっこむな」

真紀子は、慌てて薪をひっこめた。オレンジ色の火の粉がはじけるように散った。

「お父さん、巧の頼みきいてやってくれない？　何を頼んだのか知らないけど、あの子が、頼み事するなんてめずらしいのよ。だめ？」

「だめじゃな」

真紀子が、ため息をつく。

「巧ってね、本当に人に頼み事をしないの。頼《たよ》るのが嫌みたい。相談さえしないの。あの子ね、ほんとはリトルリーグに入りたかったのよ。だけど、わたしが反対したの。経済的に大変だって。ほんと言うと、野球させたくなかったから……。そしたらね、少年野球チームの申し込み書、自分でもらってきて『ぼく、ここに入るから。お父さんの名前だけ書いてよ』って言うの。自分の名前と住所はちゃんと書きこんでたわ。『入りたい』でも『入ってもいいかな』でもないのよ。ぜんぶ自分で決めちゃってるの。まだ四年生だったわ。今の青波と同じ年よ。もう反対しても無駄だって思ったわ」

「そりゃよかったな」

短く息をすって、真紀子は少し身じろぎした。

「どういうこと？　よかったって」

「リトルリーグは、硬球じゃろ。投手はな、早くから硬球を握らんでええんじゃ。中学まで軟球《なんきゅう》でじっくり肩《かた》をつくっていくのがええと、わしは思うとる」

「やめてよ」

真紀子が立ちあがった。額にうっすら汗《あせ》がにじんでいた。

「やめてよ。硬球とか軟球とか、誰もそんな話してないでしょ。野球なんてどうでもいいわ。お父さん、ちっとも変わってない。なんでも野球、野球って。むかしから、そうじゃない。父親参観日より試合が大事。わたしが熱を出してても、選手の怪我のほうばかり心配してた。もういいわよ。たくさん。もう野球なんかから手を切りたい」

真紀子は口をつぐむと、胸をかかえるようにして、またしゃがみこんだ。

「おまえと巧は、よう、似とる」

「え？」

「結婚《けっこん》するとき、おまえも全部、自分で決めてたじゃろが。相手も式場も東京で住むマンションも。『お父さんは、承諾《しょうだく》だけしてくれればええのよ』て、おまえは言《ゆ》うた。ありゃあ頭にガーンときたぞ。たったひとりの娘《むすめ》なのに、その結婚なのに、なんちゅうことかと思うてな」

「だって、広さんとは高校時代からつきあってたのよ。ふつうの父親なら、とっくに気がついてたわよ。お父さん、わたしのことなんかどうでもいいんだって思ってたの。話したってわかってもらえないって。それに野球のやの字も知らない広さんを、お父さんが気にいってくれるわけなかったでしょう。事実そうでしょ。結婚式にも出てくれなかったもの……」

「意地をはりすぎたとは思うとる。おまえの花嫁姿《はなよめすがた》を見れんかったのは、おしかった。ばあさんにも『ただの野球ばかかと思うたら、ほんまのばかじゃったね』て、言《ゆ》われてしもうた」

炎《ほのお》に熱せられた薪から、あぶくが出る。真紀子が目をそらせた。

「火に焼かれる薪の涙《なみだ》みたいで、きらい」

遠いむかし、中学生の真紀子がそう言ったのを洋三は覚えている。

「お父さん、わたしたちがここに帰ってきたの、迷惑《めいわく》じゃない？」

「迷惑？　なんでそんなことを言《ゆ》うんじゃ。娘夫婦《ふうふ》と孫といっしょにくらせるなんぞ、誰でもうらやましいて言《ゆ》うがな」

「そう、よかった」

洋三は手をのばし、真紀子の髪《かみ》にさわった。さらりとした、まっすぐな、癖のない髪だった。

「おまえはどうなんじゃ。帰ってきたこと後悔《こうかい》しとるんか」

真紀子が首をふる。

「正直言って、悩《なや》んだの。お父さんといっしょに、ケンカしないで暮らせるかなって、不安だったし。でもね、今はよかったなって思ってる。空気、すごくおいしいもの」

「空気？　なんのこっちゃ」

真紀子は、今度は声を出して笑った。

「青波よ。あの子、気管が弱いでしょ。都会の空気は、汚《きたな》すぎてだめなの。ここにきて、思いっきり深呼吸してみて、嬉しかった。肺の奥までしみるみたいなきれいな空気。青波のためにはよかったわ。それに、広さんの仕事が少しひまになったら、いっしょに夕食食べられるじゃない。ほんと信じられないけどね、お父さん、今まで家族そろっての夕食なんか一か月に一度か二度だったのよ。たまにそろっても、広さんは疲れて不機嫌だし、巧はなんにも言わないし、青波とわたしだけがしゃべってるの。でも、これからは、だいじょうぶよね。わたし、料理、上手になったのよ。おいしいもの食べて、みんなでわいわい言って、青波もじょうぶになって、いいこといっぱいって感じ」

「青波か」

洋三は、真紀子から目をそらせた。

「いい子だな」

真紀子が、また笑う。明るい声だった。

「でしょ？　青波がいたから、わたし、さびしくなかったの。嫌なことがあったり、落ちこんだりしたとき、青波の顔を見てると元気が出るの。すごく優《やさ》しいのよ。こっちの心まではんとに優しくしてくれるのよ。なんでもしゃべってくれるし、またその話が楽しいの。童話を聞いてるみたいよ」

「巧は、どうなんじゃろか」

洋三が、薪《まき》を奥におしこむ。

「さっき、おまえは、わしに話してもしょうがないて思うたて言《ゆ》うたろう。あいつも、そう思うたんかの？　野球が好きで好きでしょうがないこと、母親に話してもわかってくれんと思うたんかのう」

真紀子は、顔を上げて空を見た。巧はと、つぶやく。

「巧は、そんな弱い子じゃないわ。わたしがどう思ってるかなんてこと、巧には関係ないの。大人なのよ。誰にも頼らない。自分だけを信じてるみたいなとこあるもの。すごいと思うわ。ぞっとするぐらいよ」

真紀子は、頬をゆっくりとなでた。炎に照らされた顔が昼間よりずっと老《ふ》けて見えた。

「ひとりでも平気なんだもの。ピッチャーには向いてるわね」

「ひとりだなんて思うたら、ピッチャーなんぞやっとれんよ。真紀子、投手ちゅうのはな、前にキャッチャーが、後ろに七人の野手がおるポジションなんじゃぞ。応援席《おうえんせき》もダッグアウトの中も見ることができる。マウンドほど、仲間を意識できるとこはないんぞ。投手が、ほんまにひとりだと思うのは、力いっぱい投げこんだ球を打ちかえされた、その一瞬《いっしゅん》だけじゃ」

「はいはい、わかりました。野球の話は、もういいわ。それに巧なら、そんなこと、よくわかってるわ」

「母親がわかってないんじゃ。息子《むすこ》かて、わからんじゃろ。まあええ。それよりふろがわいたら、広くんに入ってもらえ」

「えっ、こんなに明るいのに」

「明るいうちから、薪で焚いたふろに入る。こんくらいのぜいたくはしてもらえ」

「お父さん、それで早くからおふろ焚いてくれたの？」

「うん、まあな。できの悪い娘を引き受けてくれたお礼じゃよ。礼を言《ゆ》うのが、ずいぶんおくれたけどな」

「まっ、意地悪」

「ママ」

突然《とつぜん》、後ろから青波がとびついてきた。

「まあ、青波、びっくりするでしょう」

身体の向きをかえ、真紀子が青波をだきしめる。

「ママ、兄ちゃんがおらんで。またランニング？」

「そうよ。兄ちゃんが、毎日走るの知ってるでしょ」

「ぼくも行きたかったけどな。あっ、カニみたいじゃ」

青波は、薪から出るあわを指さした。

「カニか、青波は、おもしろいのう」

「うん、おじいちゃん、ぼくこの家、大好きじゃ。おもしろいもんがたくさんあるもん。あっ、ママ、庭でフキノトウ見つけたよ。来てよ、教えてあげるけん」

青波に手を引っぱられて、真紀子は立ちあがった。

「すごいんで、すごいきれいな色。緑に光って見える」

「そう、青波は、なんでも見つけてくるのね」

真紀子と青波が行ってしまうと、洋三はひとりになった。炎の中で、薪がくずれ落ちていく。遠くで青波の笑い声が聞こえた。

3　少年

神社の石段の下に着いたとき、巧は少し汗《あせ》ばんでいた。

さすがだな、と思う。この石段をのぼり、くだり、今走った道を引きかえせば、かなり息がはずむだろう。たしかに、このランニングコースは、巧にはてごろな距離《きょり》だった。洋三は、それをさりげなく指示した。

さすがだと思ったけど、悔しくもあった。おまえの力はここまでと、決めつけられた気がした。

いいさ、明日から少しずつ距離をのばしていけばいい。じいちゃんが考えている程、おれはガキじゃない。

変化球のことは、ある程度納得《なっとく》できた。身体《からだ》ができあがっていないのもわかっている。だからといって、自分の力をみくびってほしくなかった。自分の中にあるものを、そう簡単に計られて決めつけられてはたまらない。息を整えて、石段をかけ上がる。

境内《けいだい》は、思ったより広かった。石だたみがまっすぐに続いて、先に古びた社があった。

大きな鈴《すず》がついている。その下の紅白ひもだけが新しく、やけに目立った。巧のほかに誰もいない。ウグイスの声が、近くで聞こえた。驚く程近かった。社の周りは雑木林で、ウグイスの声は柔らかくその林に谺《こだま》した。

軽くピッチングのまねをする。本気で、ボールを投げたいな。胸の奥がじんとしびれるほど強くそう思った。自分のボールがミットにおさまる音が聞きたかった。

修でなくてもいい。誰だってかまわない。自分の放《はな》つ一球を確かに受けとめる、ただ一つのミットが欲しい。

身体の奥底からつきあがってくる欲望に、巧は目を閉じて耐《た》えた。石段をかけのぼってさえ容易に乱れなかった気息が乱れ、くずれ、苦しい。身体の内側を熱い風が、らせんに渦《うず》まいて吹《ふ》き通っていくようだ。境内に幾本《いくほん》もある大樹の幹に背をもたせかけ、座り込む。投げたい、欲しい、欲しい。マウンドと一八・四四メートル先のミットに焦《こが》れる。今は、しかし、熱風のような欲望をおさえるしかなかった。

ウグイスが鳴く。空は赤く、人気のない境内はうすら寒い。ランニングはまだ途中《とちゅう》だ。巧はポケットの中のボールを握りしめ立ちあがった。

帰り道、巧は迷ってしまった。雑木林の中に細い道を見つけて、おりたのが間違いだった。神社の裏に出ると思ったのに、道はいつまでもまがり続け、林からぬけ出られない。最初は、腹が立った。走ることに集中できなければ、ランニングの意味がない。迷った自分にも、わけのわからない山の道にもむしょうに腹が立った。頭の上を黒い大きな鳥が飛び去ったとき、初めて心がさわいだ。そいつは、ギャアというようなしゃがれた声を出して、林の中に消えたのだ。見あげると、空は紫色《むらさきいろ》に変わっていた。

もしかして、マジで迷っちゃったのかな。

怖いとは感じなかった。それでも、急に強くなった風の冷たさが気になった。汗をかいた身体が冷えていく。雑木の枝がゆれて乾いた音をたてた。

木が、ぼくらを狙っとる。青波なら、そんなこと言いそうな雰囲気《ふんいき》だな。

足をとめ、振りむいてみる。おりてきた道は、薄《うす》い闇《やみ》の中に、はっきりとは見えなくなっていた。どっちみち、引きかえすのは性《しょう》に合わない。足先に力をこめて走りだす。

走りだしてすぐに林はとぎれた。ぷつっと切れた感じで目の前がひらける。田んぼが広がっていた。土をほりおこした匂いがする。あぜ道が続き、巧の足元に小さなタンポポが咲《さ》いていた。

額の汗をぬぐう。今、自分がどこにいるのか、さっぱりわからなかった。

都会の道ならどこをどう走っても、人のいる場所に出る。しかし、今、目の前にあるあぜ道は、どこに続いているのか見当がつかない。土の匂いをふくんで広がる田んぼも、枯《か》れ草と若草の緑がだんだら模様になった道も、風が吹くたびに音をたてる雑木林も、どこか異世界の風景のようだ。

なんで、おれがこんなところで、おたおたしなくちゃならないんだよ。

足元のタンポポをふみしめた。胸をはり、左足を大きく上げる。手首をそらしたまま、頭の後ろから右腕を振りおろす。

ストライク。ど真ん中。

ヒュッと口笛の音がした。夕闇の中に、少年がひとり立っていた。いや、ひとりではない。後ろに、もう三人少年がいた。しかし、いちばん前の少年は、目立った。大きいのだ。肩幅《かたはば》も身長も、巧よりずっと大きい。しかも、この時期、半そでのTシャツにジーンズというかっこうだ。少年たちは、みんな釣《つ》り道具を肩にかけていた。

「ナイスピッチング」

半そでの少年が、また口笛を吹く。よく響く高い音だ。中学校の野球部。なんとなくそんな感じがした。

「釣りしてたらや、急に神社の山から人がおりてきたけん、見よったんじゃ。びっくりした？」

顎のはった四角い顔が笑っている。身体に似合わず、丸いかわいい目をしていた。

「べつに、びっくりはしないけど」

巧は、少年の釣り道具に目をやった。

「こんなとこで釣り、できるわけ？」

田んぼと雑木の中、どこで魚が釣れるのかふしぎだった。

笑い顔のまま、少年は、左手にさげていたバケツをさし出した。のぞきこんでみる。黒っぽい大きな魚が二匹《ひき》、かすかに尾《お》ビレを動かしていた。鯉《こい》ではないと思った。

「ふな？」

「ブルーギル」

聞いたこともない名前だ。

「獰猛な奴なんだ。肉食で、カエルなんかひと飲みにするんじゃ」

魚は、少年の説明に応《こた》えるように、バケツの中をゆっくりと泳いだ。背ビレがぎざぎざで、黒っぽい体のあちこちに怪我をしている。肉食獣《じゅう》のような凄みが確かにあった。

釣りに興味はなかったけれど、この魚には心をひかれた。

「こんなのが、どこに？」

「この林の向こう側。ついてこいよ」

少年が歩きだす。

「えー、豪《ごう》ちゃん、帰らんのか」

「もう日がくれるで」

文句を言いながら後ろの三人も後に続いた。

いいよ、わざわざ案内してくれなくても。そう言おうとして、初めて気がついた。豪と呼ばれた少年は、水の入ったバケツを片手だけでずっとさげていたのだ。しかも、さっきまで、それを持ちあげて、見せてくれていた。

すげえ力だ。もしかして柔道部《じゅうどうぶ》のほうかもしれないな。半そでからのびた、少年の太い腕を見る。両手をポケットにつっこんで、巧は歩きだした。


細い道にそって、歩く。五、六本の雑木のかげに小さな池があった。深いのだろう。こい緑色をしている。ブルーギルという肉食の魚にふさわしい池に思えた。

「帰ろうや、豪ちゃん。あんまりおそうまで、池の側で遊びよったら、おこられるんじゃ。なあ帰ろう」

少年のひとりが、甘えた声で言う。こういうべったりした言いかたは、きらいだ。イライラしてくる。しかし、豪は笑って頷いた。

「そうじゃな。帰ろう」

それから、巧のほうを振りむいた。

「今度、いっしょに釣りやるか?」

えらく、なれなれしい奴だと思う。ポケットに両手をつっこんだまま首を横に振った。

「あんまり興味ないから」

「興味あるの野球だけか」

少し驚いた。なんだって?——そう聞きかえそうとしたとき、豪は、今来た道を引きかえし始めた。横にならんで、巧も歩きだす。バケツの水が揺れて、ブルーギルがうねるように横腹を見せた。

「原田巧じゃろ。ホワイトタイガースの」

思わず足がとまった。歩けよというふうに、豪が顎をしゃくる。

「おれ、そんなに有名人なわけ」

「まあね。じつは、おれたちのチームも去年、県大会までは行ったんじゃ。二回戦で負けたけど。監督《かんとく》に、すごいピッチャーがおるけん、見て帰れて言われてな。準々決勝見たし、次の日の準決勝、決勝戦もじっくり見物させてもろうた」

足がまた、とまりそうになる。

去年、県大会に行ったということは、この少年も小学生だったということになる。ちょっと信じられなかった。

言葉にして、それを確かめようとしたとき、豪が短い笑い声をたてた。

「追っかけもやったぜ」

「追っかけ?」

「うん。監督から、原田というピッチャーは、井岡のじいさんの孫だって聞いたけんな、じいさんが広島に行くとき、いっしょについて行って中国大会の試合、見せてもろうた」

巧は、肩をすくめた。わずかにしずんだ球。空振《からぶ》り。しりもち。頭が痛くなるほど見続けたビデオのシーンが浮かぶ。

「去年、県大会へ出たって言ったよな」

「うん。新田《にった》スターズっての。ここらへんじゃ、まあ強いで」

「じゃあさ、やっぱり今年、中学生になるわけ?」

「あたりまえじゃ。小学校はちゃんと卒業したで」

この身体《からだ》で、中一かよ。

巧も同級生の中では、かなり大きかった。しかし、目の前の少年にはかなわない。身体の大きさというより、身体全体の線が、がちっと太いのだ。

キャッチャーだな。そう思った。それ以外のポジションは考えられなかった。

田んぼのあぜ道を林にそって歩くと、意外なほどあっさり、神社の石段のところに出た。

「豪ちゃん、ぼくら帰るけんな。バイバイ」

「練習ときどき、見にきてんな」

自転車にまたがって、三人の少年が手を振る。

「おう、おまえらもまじめに練習して、県大会に行けよ」

少年たちが行ってしまうと、闇《やみ》がまた、こくなったようだ。石段だけが、ぼんやりと白かった。

「なるほどね、新田スターズの後輩《こうはい》ってわけだ」

「そう四、五年のちび。けっこうかわいいんだ」

「ふぅん、そのちびに豪ちゃんて呼ばれてるんだ」

巧は、チームの中でちゃんづけで呼ばれたことなどなかった。六年生はともかく、四、五年生でたびたび巧の名前を呼ぶのは、バッテリーを組んでいた中本修ぐらいだろう。それも、必ず『原田さん』だった。

「後ろ、のるか？　足かけるとこあるで」

豪が、自転車にまたがった。青のマウンテンバイク。

「いや、いいよ。走るから」

「じゃ、途中までいっしょに行こうや」

巧は返事をしなかった。黙って、走りだす。その横に豪の自転車がならんだ。巧は、バケツが気になってしかたなかった。どのくらいの重さがあるのだろう。豪の腕を見る。少し肘をまげて、あたりまえのように水と魚の入ったバケツをさげていた。

「名前は？」

短く聞いてみる。

「えっ」

「豪ちゃんは、わかったから、その上。名字」

「あっ、そうか。永倉《ながくら》。永倉豪ってんだ。家、わりに近いよ。歩いて十分ぐらいじゃな。それに、うちの母さんとな、原田んちの母さん、同級生なんじゃと。井岡のじいさんとこにマキコが帰ってくるなんて喜んどったな。旧姓《きゅうせい》が石岡《いしおか》っていうんじゃ。石岡節子《せつこ》。聞いてみなよ」

関係ないだろ。そう言おうとして、巧は顔を上げた。目が合う。豪の視線が巧の頭から足までをすっとなでた。

「速いな。ランニング、いつもそのペース？」

「まあな。べつに、豪ちゃんの自転車に合わせてるわけじゃない」

「だろうな」

橋をわたる。ライトをつけた車が何台も側を通り過ぎた。

「原田の球って、のびるんじゃろな」

「打者の手元でか」

「そう、遠くから見ただけじゃけど、ベースの近くにきても、球の速さ落ちてないよな」

「あたりまえだろ」

「あの球が低めにくると、かなりのバッターでもつまるんじゃろな」

「むりに打ちにいけば、つまるだろうな」

「打ちにいかなければ？」

「三振《さんしん》」

豪が、真顔で頷く。大人びた、きつい顔をしている。薄闇《うすやみ》の中でも、よくわかった。こういう顔をして試合に出るのかと思った。

ふっと、言葉が口をついた。

「投げてやろうか」

「えっ？」

「キャッチャーなんだろ。おれの球、受けてみる?」

自転車のブレーキの音。バケツが揺れて、水がこぼれた。巧もとまる。

「ほんまに、投げてくれるんか」

「いいよ。おれもピッチングの練習になるし。ただし、ちゃんとおれの球を受けられたらの話だけど」

豪が大きな口をあけて、笑う。笑うと急に、子どもっぽい丸い顔になった。

「だいじょうぶ。まかしとけや。じゃあ明日、行くけん。朝、十時ごろ。ええじゃろ?」

「明日は、引っ越《こ》しの荷物がとどくことになってんだ。朝は、忙しいな」

豪が、ばたばたと手を横に振る。

「手伝《てつど》うちゃるて。おれ、わりに力あるけん。役に立つ」

「わりにどころじゃないだろ」

巧は、水の揺れているバケツに目をやった。ブルーギルの黒い体は、底にしずんで、はっきりと見えなかった。

「あっ、そうじゃ。この魚、原田にやるけん」

「えっ、いいよ。興味ないよ、魚なんか」

「ええって、やるよ。あっ、水槽《すいそう》がないか。じゃあ明日、魚といっしょに持っていっちゃるけん。生き餌《え》のミミズも持っていっちゃる。じゃあ、十時じゃぞ。約束したぞ」

豪は、自転車を横道に向けて、ペダルをふんだ。

「ええな、十時じゃぞ。忘れんな」

高い口笛が聞こえた。いつのまにか豪のペースにまきこまれたような気がする。しかし、キャッチャーを座らせて、投球練習ができるとしたら、悪くない。豪のキャッチングがどのくらいのものなのか、知りたいとも思った。

どっちにしても、明日、あいつのミットめがけて思いっきり、投げこんでやる。

胸の中が、ぐっと広がった気がした。唇をとがらせ、巧も、小さく口笛を吹いてみた。

玄関《げんかん》に入ると、甘い匂いがした。

「ずいぶん、おそかったのね。先にごはん食べてるわよ」

真紀子の声。巧は、顔と手をていねいにあらった。水の冷たさが、身体にしみてくる。

「兄ちゃん、スキヤキで。すごく、おいしい。早《はよ》う、早う」

青波が、小鉢《こばち》とはしをさし出した。洋三と広の前には、とっくりがならんでいる。ふたりとも、赤い顔をしていた。

「神社まで、往復で五キロもないじゃろ。えろう時間がかかったのう」

洋三が、スキヤキの鍋の向こうから言った。広が、とっくりを持ちあげて、洋三に酒をつぐ。

「何時間も車にのった後だものな。いくら巧でも、ばてるよな」

巧は、卵をかきまぜていたはしをとめた。父の顔を見る。ふろに入った後なのか、髪《かみ》も顔もしっとりした感じで、いつもより若く見えた。

「父さん、本当にそう思ってんの？」

「えっ、なんだって？」

「本当に、おれがばてて、遅くなったと思ってるわけ？」

「違うのか」

広は、戸惑ったように瞬きした。巧は、鍋の中にはしをつっこんだ。汁《しる》がとぶ。真紀子が、「巧」と叫んだ。

四年のとき、ホワイトタイガースに入ってから、ランニングを欠かしたことは一度もない。修学旅行のときでさえ、夜の自由時間を利用して、ホテルの周りを走ったのだ。校内のマラソン大会では一位だった。市の陸上記録会でも五千メートルに記録を持っている。なにより、県大会でも中国大会でも、すべての試合にひとり投げぬいた。そのことをむろん、広も知っているはずだ。それなのに……。

五キロだぜ。たった五キロのランニングで、おれがばてると本気で思ったのかよ。口の中の肉をかみしめる。なんで、自分の息子《むすこ》のことが、そんなにわかんないんだよ。そう叫《さけ》びたい思いを肉とともに、飲みこんだ。

「巧、なによ、その態度。いいかげんにしなさい」

母の声が、高くなる。巧は、小鉢を持った指の先に力を入れた。母のいらだつ声を聞くと、まず指が反応する。かすかに震えだすのだ。

「みんなが楽しく食事してるのよ。そんなこともわからないの。自分かってにふてくされるのは自由だけど、周りの者にも少しは気を遣ったら」

「真紀子、もうやめろ」

広がとめる。そのぐいのみに洋三がだまって酒をついだ。真紀子は、巧を見つめながら、長いため息をついた。

指の震えがひどくなる。小鉢が重く感じた。小鉢の中身を父や母の顔にぶつけてやろうか。

ぶつけてやりたいと思った。スキヤキの鍋も、漬物《つけもの》の皿も、豆腐《とうふ》の入った吸い物椀《わん》も、全部投げつけてこなごなにしてしまいたい。

手首がつかまれた。ひやりと冷たい手。

「誰かとしゃべっとったんじゃろ？　兄ちゃん」

青波が、のぞきこむ。

「なっ、そうじゃろ。途中で誰かに会《お》うておしゃべりしとったんじゃな」

震えがとまる。巧は、ゆっくり小鉢をおいた。青波を見て、頷く。

「へんな奴がいたんだ。永倉豪っていう奴」

洋三が、顔を上げた。

「ほう、豪に会ったんか。永倉病院の息子じゃ。真紀子、おまえと仲の良かった石岡の節子の息子じゃがな」

「そうだ、巧と同い年の子がいたのよね。新田に帰るって連絡《れんらく》したら、せっちゃん喜んでくれたのよ。明日も手伝いに来てくれるみたい」

真紀子が微笑む。笑顔《えがお》のまま巧に尋ねた。

「どんな子だった？　その子も野球してるんでしょ？」

「明日来るってさ。なんかブルーギルとかいう魚釣っててさ、水槽といっしょに持ってくるなんて言ってた」

「ブルーギル」

青波が大きな声を出す。

「ぼく知っとるで。この前読んだ本に出てきた。肉食でな、すごくどうもうなんじゃな」

青波は、まだ巧の手首を握っていた。肌《はだ》に伝わる冷たさが、気持ちよかった。炎症《えんしょう》を鎮《しず》めるアイシングのシップのように、弟の手のひらは快く冷たい。

「肉食の魚か……あいつも、そんなことを言ってたな。それ、どんな話なんだ」

「すごい怖い話。アメリカの話なんじゃけど、ある男がな、人を殺して沼にしずめるんじゃ。そこにブルーギルがいっぱいおって、死体の肉を食べてな……」

青波の声が低くなる。巧も真紀子も広も洋三も、糸で引かれるように青波のほうに顔を向けた。

「死体は沼の底でくさって、どんどんブルーギルに食べられて、とうとう骨だけになってしまうんじゃ。そいでな、ある大雨の夜、男の家からすごい悲鳴が聞こえて、次の朝、隣の人が行ってみたら、その男はベッドの上で血だらけになって死んどった。身体《からだ》じゅうの肉を食いちぎられとったんじゃ。そいでな、部屋の中はびっしょりぬれて、死んだブルーギルがいっぱいあったんじゃと」

つばを飲みこんで、青波が口をゆがめて笑う。真紀子が眉をひそめた。

「やだ、青波ったら。そんな怖い話なんか読んでるの?」

「『世界の怪奇《かいき》』って本だよ。もっとこわい話ものってた」

「もう、けっこうよ。なんだか肉を食べられなくなりそう」

電話のベルがなる。真紀子は、軽く咳ばらいをして立ちあがった。

「もしもし、えっ？　うわぁ、せっちゃん。お久しぶり。うんうん。そう、上の息子がね……えっ？　いやあね、そんなことないって。明日、来てくれるの。えー、悪いな。うんうん、そう。主人の会社の人も来てくれるんだけど、女手があると助かる、うん、そう、十時で充分《じゅうぶん》」

「きっと長電話になるぞ」

洋三が、ウインクする。青波は、まじめな顔で頷いた。

「三十分ぐらいじゃろ。せっちゃんて人から電話があると、ママ、いっつもそのくらい話してたで、そいで電話が終わってから、きゃー、もうこんな時間てさわぐんじゃ」

広がふきだす。

巧は一つ息をついた。

「青波」

「うん？」

「手を離《はな》せ」

「あっ、ごめん、けど兄ちゃんの手って、かたくて熱いね」

　にっと笑い、青波は兄の手首から指を離した。

　青波の言う通り、食事が終わっても真紀子の電話は続いていた。部屋に引っこもうと、立ちあがった巧を洋三がひきとめた。顔がますます赤くなっている。

「巧、いいもんがあったで、見てみいや」

「いいもの？」

　古ぼけたアルバムだった。黄色い表紙に白鳥がプリントされている。

　中は、むろん写真だった。あの梅の木の下で洋三にだかれているもの。ゴムボールを両手に持っているもの。上半身はだかで、昼寝《ひるね》しているもの。そして、やせた白髪《しらが》の女の人と手をつないでいるもの。ぜんぶ幼い巧の写真だった。

「おまえが、うちにおった半年ぐらいの間に、ばあさん、やたら写真を写してのう。自分があんまり長《なご》う生きれんてわかっとったんかどうか、ともかく毎日みたいにカメラ持って、おまえを写しとった」

　ばあちゃんんか。

　巧は、自分の手を握って正面をむいている祖母の写真を見つめた。

「ほう、これなんかすごいじゃないか」

広が、指さす。一面のレンゲの花の中に、巧が座っていた。口をとじて何かを追うように上を見あげている。

「ほんまじゃ、きれいな写真じゃな」

「ずいぶん真剣《しんけん》な顔をしてるぞ。巧、何を見てたんだ。ン、下に何か書いてあるな」

のぞきこむ広と青波の前で、巧はアルバムをとじた。

「部屋でゆっくり見せてもらうよ」

「ばあさんの形見みたいなもんじゃからな。おまえにやるわい。どうじゃ、広くん、もう一本つけるか」

「いいですね、さすが地酒だ。うまい」

洋三が立ちあがる。真紀子が、受話器をおさえて、振りむいた。

「ちょっと、広さんもうだめよ。飲み過ぎ。えっ？　あっ、ごめん、せっちゃん。うん、男どもがな、飲み過ぎるんよ。肝臓《かんぞう》悪くしたくせにな。ううん、いいって気にせんといてや。そう、せっちゃんとこも、へぇそうなん」

巧は、母の横顔に目をやった。言葉遣《づか》いも表情も若い。アルバムをわきにかかえ、部屋を出る。

「ママ、電話のとき、おもしろいじゃろ」

階段の途中で、青波が追いついてきた。

「そうだな。母さんが方言遣うの、初めて聞いたな」

「せっちゃんて人と話するときは、いっつもああだよ。ママって相手によって、声とか言いかたとかぜんぜんちがうんじゃ。中本のおばちゃんなんかと話するときは、ちょっと早口になるし、学校の先生なんかだとゆっくりになるんで。アルセーヌ・ルパンみたいだなって、いっつも思う」

「おまえ、よく知ってるな」

青波が、ふわっと笑った。

「だって、ずっといっしょじゃもん。ぼく、よう学校休むけん、一日、ママとおるじゃろ。なっ、兄ちゃん」

「なんだよ」

「ママの言《ゆ》うたこと、ほんとかな」

巧は、部屋の前で立ちどまり、青波に向かい合う。青波は、まっすぐに兄の顔を見ていた。

「新田の空気が身体にええって、ママ言《ゆ》うたろ。そう思う?」

そんなことわかるかよと、答えるのは簡単だった。けれど、巧は黙って目をふせた。真正面からの青波の視線が重たかった。部屋のドアをあける。

「こいよ、青波。おれも聞きたいことあるんだ」

青波がスキップするみたいに部屋にとびこむ。すみにつんである布団《ふとん》の上に座りこんだ。

「明日、ベッドが来るね。ぼく、窓のとこにおくんじゃ。寝てても外が見えるじゃろ」

巧は、たたみに座り、ボールを握った。かたいゴムの感触《かんしょく》が手のひらに伝わる。

「青波、おまえ、なんでわかったんだ」

「え?」

「おれが、ランニングの途中で誰かと会ったってこと、なんでわかったんだ」

「だって、兄ちゃんがあんなにランニングでおそうなるなんて、どっかでけがしたか、道に迷うたか、誰かと話してたかしかないじゃろ。帰ってきたとき、けがしてなかったし、なんとなく嬉しそうな顔してたから、誰かと楽しい話してたんかなって思うたんじゃ」

放《ほう》りあげたボールを、もう少しで落としそうになった。青波は、さっきのアルバムを見ている。うつむいた横顔は、電灯の下で、ふだんよりさらに小さく見えた。

「すごいな」

巧は、本気で言った。

「まるでシャーロック・ホームズだ」

「ホームズ、好きだよ。ぜんぶ読んだ」

青波は、アルバムを指の先で軽くたたいた。

「兄ちゃん、ええな」

「何が」

「こんなきれいな写真がいっぱいあって」

「写真なら、おまえだってあるだろ」

「ふつうの写真ばっかりだもの」

青波の言う意味が、よくわからない。座ったまま、天井《てんじょう》近くまで、ボールを投げあげた。ボールは、まっすぐに上がり、まっすぐに落ちてきた。

「おじいちゃんもおばあちゃんもいっしょうけんめい、写したんじゃな。そうでないと、こんなきれいな写真できんもんな」

「あんまりわけのわかんないこと言うなよ」

もう一度、ボールを投げる。青波の両手が落ちてくるボールをつかんだ。青波は、そのまま、はねるようにしてボールを上に投げた。天井に当たる。バァンと音が響いた。

「ばか、手だけをつかって投げるんだよ。せっかくの部屋が壊れちゃうぞ」

「手だけで、まっすぐ上がる？」

「おまえには無理だよ。手首の力がいるんだ」

青波が、何かつぶやく。その手からボールを取りあげた。

「もういい。自分の部屋に帰れ」

青波は、頷いて何も言わずに出ていった。広げたままのアルバムが布団の上にあった。どの写真の下にも、短い言葉が書きそえてある。

『巧、お昼寝《ひるね》、おでこに汗《あせ》をかいていた』『オジイチャンとキャッチボール、なかなかのもの』『となりのお姉ちゃんといっしょに木の下で』

細い優《やさ》しげな文字と大きめの太い文字。レンゲ畑の写真の下には、洋三のだろう太い文字で、『巧は、空を見ている。空を見るのが好きな子だ』と書かれてあった。

4　空き地で

次の朝、十時前に豪はやってきた。ちょうど荷物をつんだトラックが着いたところで、家じゅうの者が走り回っていた。その後ろに白い乗用車がとまる。

「おーい、原田。手伝いに来たぞ。ブルーギルも持ってきたぞ」

豪が手を振る。運転席から、小太りのメガネをかけた女性が、おりてくる。丸い鼻の形が豪にそっくりだった。

「マキ、久しぶり」

「うわ、せっちゃん、来てくれたの。ありがとう」

だき合うようにして笑っている母親たちの側を、豪が腕まくりして通り過ぎる。今日は、長そでのトレーナーだった。

「原田、ちゃんと軍手はめて荷物、運べよ。指先を痛めるで」

巧は、眉をきつくよせた。

「大きなおせわだよ。おれに命令するなよな」

「キャッチャーは女房役《にょうぼうやく》っていうじゃろ。おまえのことを心配してんだ」

「バッテリーを組んだらの話だろ」

「組むさ。決まっとるじゃろ」

「おまえがおれの球を受けられるかどうか、わかんないぜ。昨日も言ったろ」

「速いのは、わかっとる。この目で見たんじゃ」

「見た目より、速い」

豪が、にやっと笑う。

「わかってるって。わかってて言《ゆ》うとんじゃ。さっ、運ぶぞ。おばさーん、これどこに運ぶんですか。台所?」

ダンボール箱を持ちあげて、豪が、家の中に消える。黒いトレーナーの肩《かた》は、昨日よりさらに大きく見えた。巧は、ゆっくりと軍手をはめた。

豪たちが来てすぐ、ワゴンがとまった。青い作業服を着た男が三人、おりてくる。胸に広の会社の名前が刺《し》しゅうしてあった。

「原田さん。手伝いに来ました」

「あっ、すまないね。せっかくの休みなのに」

あいさつが終わると、いちばん背の高い太った男が洋三のほうに歩みよった。

「監督《かんとく》、ごぶさたしてます」

「おう、稲村《いなむら》か。ほんまに久しぶりじゃのう。元気か」

「はあ、なんとかやってます」

豪が、巧の耳元でささやく。

「あの稲村って人、甲子園経験者で。井岡のじいちゃんが監督してたときの、ナイン」

ふうんと巧は返事をして、ダンボール箱を豪にわたした。

「これ、おれの部屋。たのむよ、豪ちゃん」

自分もダンボール箱をかかえて、二階に上がる。

「なあなあ原田、話を聞こうと思わんか?」

「誰の?」

「稲村さんの。甲子園の話」

「聞いてどうするんだよ」

「えっ? 原田、もしかして井岡のじいちゃんにも、甲子園の話、聞いてないのか」

「だから、聞いてどうするんだって言ってるだろ」

部屋の真ん中に、放《ほう》り投げるようにして箱をおく。豪は、その上に自分の運んだ箱を重ねた。

「なあ、原田」

「なんだよ、原田、原田ってうるさいな」

「興味ないっていうの、おまえの口ぐせみたいじゃけど、甲子園にも興味ないんか」

「あるよ」

「だったら、じいちゃんや稲村さんの話を聞いても」

巧は、豪のほうを向いて「ばか」と言った。

「おれが甲子園に興味あるのは、あのマウンドで投げるためってことだよ。アルプススタンドで応援《おうえん》したり、行った奴の話を聞くなんてこと、ぜんぜん興味ない」

豪の口が、もぞっと動く。

「さすが孫だな。同じことを言《ゆ》うとる」

「同じこと？」

「前にな、おれ、井岡のじいちゃんに甲子園の話、聞かせてくれって頼《たの》んだことあるんじゃ。そしたらな、じいちゃんに、甲子園に行きたいなら他人の話を聞くより、あそこで野球している自分の姿を想像してみぃて言《ゆ》われた」

そうだな、じいちゃんならそう言うだろう。

「それで、豪ちゃんは、大甲子園でプレーする自分の姿が浮かびましたか」

冗談《じょうだん》めかして言ったつもりだったが、豪は、にこりともしなかった。

「うん、正直言《ゆ》うて、あんまりピンとこんかった。甲子園には憧れとったけど、あと何年後かに自分があそこで、プレーしとるなんて、この前までは考えもつかなんだな」

「この前までって、じゃ今は、ピンときてるんだ」

「きてる、きてる。県大会で原田の球を見て、その原田が新田に引っ越《こ》してきて、おれとバッテリーを組む。そう思うたら、なんかすごくピンときた」

豪は、長い息をはいた。

「いいよなあ。今まで、ほやほやしたただの夢だったのがな、どんどんかたくなるっていうか、ほんまのことに近《ちこ》うなる。なんかどきどきするじゃろ」

「だからおれの球は……」

言いかけた巧の首に、豪の腕が回ってきた。

「原田な、おれ、おまえ好きじゃ」

首をしめられているからではない。何故か、息がつまる。好きだなんて言葉、こんなに堂々と使っていいのかと、少しうろたえる。

「よせ、やめろ。おまえはホモか」

「勘違いすんな。おまえの球が好きじゃという意味でだぞ。ぞくっとする球じゃもんな」

ドアがあいて、青波がのぞいた。

「何しとるん？」

豪が、あわてて腕を離した。巧が咳こむ。

「ママが、ベッドを運ぶから早くおりてこいって。兄ちゃん、だいじょうぶ？」

豪が、だいじょうぶ、だいじょうぶと答える。

「さっ、もうひとがんばりじゃ。あっ、それから原田」

「なんだよ」

「豪ちゃんて呼ぶのはやめえな。おれたちが甲子園に行って『へい、豪ちゃん、バックホーム』なんてかっこう悪いじゃろ。せめて、ちゃんだけは、取ってくれよな。たのむで」

咳のかわりに、笑いがこみあげてくる。かたまりになって、胸の奥を激しくくすぐるような笑いだった。おかしい。巧は、座りこんだまま、身体《からだ》を震わせた。


三時を少し過ぎたころ、荷物は片付いた。玄関《げんかん》に運びこまれた最後の荷物は、水槽《すいそう》とブルーギルだった。

くつ箱の上に、砂利《じゃり》をしきつめた水槽をおき、ブルーギルを放つ。いちばん喜んだのは青波だった。

「うわぁ、これがブルーギル。本物見たの初めてじゃ」

「どっこの池にもおるぞ。フナやハエ（＝鮠《はえ》。「オイカワ」の地方名）を食うけん、きられもんなんじゃ。えさはな、ほかにミミズやカエルで……」

豪の説明に、青波が何度も頷く。巧は、青波の頭ごしに水槽をのぞきこんだ。すんだ水の中の魚は、小さく心細げに見えた。昨日の獰猛《どうもう》さも、凄《すご》みもなかった。

こんなつまらない魚だったのか。

うらぎられたような気がした。豪が、パンと、手を打つ。

「さっ、これでぜんぶ終わったぞ。原田、やろうで」

「こっちの準備は、できてるけど」

「OK。表へ出ろや」

まるで、時代劇の決闘《けっとう》みたいだな。

ボールをはさんだグラブを脇にかかえる。昨夜《ゆうべ》、ていねいにみがいて、油をつけておいた。その油のにおいが、ふっと香《かお》る。

「豪」

居間のドアがあいて、節子が出てきた。笑い声が聞こえる。中では、ビールやすしで大人たちの宴会《えんかい》が始まっていた。

「もう、おいとましましょ」

「えっ、だめじゃ母さん。おれの用事はこれからで」

「だって、もう三時過ぎたのよ。遊ぶんだったら明日でもええが」

「遊ぶんじゃないよ」

豪が、かるく下唇を前に出す。

「時間が、ないんと違うの」

「だいじょうぶだって。塾《じゅく》は五時からじゃろ。心配せんかて間に合うって」

「だって塾の宿題してないが」

「なんとかなるって、今、塾どころじゃないんだ」

豪が、巧の手を引っぱった。巧を外に引っぱり出しておいて、いきおいよくドアをしめる。

「豪」

ドアのしまる金属音と重なって、節子の声が響いた。巧は、手首を軽く振ってみる。

自分以外の者に断りもなく、いやたとえ事前の断りがあったとしても、身体に触《ふ》れられるのは嫌だった。ざわりと肌《はだ》が粟《あわ》だつような拒否《きょひ》感覚を覚える。昨夜、青波の指に対してさえ軽い嫌悪感《けんおかん》を感じたのだ。ましてや、今利《き》き腕《うで》の手首をつかまれた。いつもの巧なら即座《そくざ》に振《ふ》りはらっていただろう。そうしなかったのは、豪の動作が、何の躊躇《ためら》いも意図も感じさせない程《ほど》、自然だったからだ。

豪がやれやれという風に息を吐《は》き出した。年齢《ねんれい》にふさわしい子どもっぽい表情だ。昨日、薄闇《うすやみ》の中で一瞬《いっしゅん》見せた険しさの跡形《あとかた》はどこにもない。

つかみどころのない奴だと思う。大人なのかガキなのか、明なのか暗なのか、つかめない。

どうでもいいか……そんなこと。

他人がどうであろうと関係ない。巧は、もう一度、手首を振ってみた。巧の沈黙《ちんもく》をどうとったのか、豪が頭をさげた。

「悪《わり》い、気にせんといてくれや」

「べつに、いいけど……塾かよ」

「そう。週三日。五時から七時まで。たいへんじゃ」

「マジメにお勉強しろよ」

「ほっとけ」

豪は、首を横に向けて、あれっと言った。

「そういえば、原田は塾なんか、行かんでええわけ?」

「親に行けって言われたこと、ないけど」

「ええなあ。理解あるパパやママで。いまどき、めずらしいで、そんな親。絶滅《ぜつめつ》寸前じゃ」

巧は、グラブの中のボールを握った。

真紀子も広も、塾に行けと言ったことはない。勉強しろとうるさく言われた記憶《きおく》もなかった。

「青波は、生まれたときから死ぬの生きるのってたいへんだったでしょ。勉強がどうのこうのって言う前に、生きて、大きくなってくれてるだけで充分《じゅうぶん》って気持ちなの」

真紀子が、誰かに電話で言っているのを聞いたことがある。青波は頭がいい。たぶん成績もいいのだろう。かりに、青波の成績がひどいものであっても、真紀子は強《し》いて塾に通えとは言わないだろうと思う。生きて、そこにいてくれるだけでいい。真紀子にとって青波は、そういう存在だった。けれど、自分に母が、おしつけがましいことを言わないのは、何故だろうか。青波と同じ理由からではない。それは違う。

「おい、行こう」

豪が、玄関脇《わき》においてあったスポーツバッグを持ち上げた。

「どこで投げる?」

「うん、ほんとはグラウンドに行きたかったけどな」

「時間がないってわけだ」

豪は、舌を長く出して肩《かた》をすくめた。おどけた格好だったが、顔は笑っていなかった。

結局、裏の空き地に場所を決めた。先月つぶれた喫茶店《きっさてん》の駐車場《ちゆうしやじよう》だったと、豪が言った。なんでもいいと、巧は答えた。かなりの広さだった。南側に井岡の家、東側につぶれた喫茶店の建物があった。西と北は田んぼだ。あぜ道に、タンポポが群れている。

「よし、やるぞ」

大声を出して、豪はキャッチャーミットをバッグから取り出した。よく使いこまれて、手入れの行きとどいたミットだった。

こいつ、案外やるかもしれないな。

そう思った。ほんの少し鼓動《こどう》が速くなる。丁重《ていちよう》に扱《あつか》われ、美しく使いこまれ、持ち主にぴたりと馴染《なじ》んでいると一目でわかるミットに、眼《め》と心がひきつけられる。豪は顔をあげ、わずかに目を細めた。

「どうかしたか？」

「いや、べつに」

「じゃっ、軽くキャッチボールからな」

豪が、立ったままミットを振った。左足を一歩前に出す。相手の胸めがけて、巧は、まっすぐに球を投げた。豪は身体《からだ》の正面で球を受けて、やはりまっすぐにかえしてくる。こきみのいいキャッチボールだった。本格的な投球に向かって、身体と気持ちのリズムが整っていく。

二十球ほど投げた後、豪が、もういいかと尋ねた。

「座るぞ」

頷く。豪は、ミットを軽くたたくとキャッチングの姿勢をとった。ゆったりと大きな構え。大きな身体が、もっと大きく見える。キャッチャーが大きく見えるということは、ストライクゾーンが広く感じられるということだ。巧の心臓が、ドクンと音をたてた。

ボールを握り直し、両腕をゆっくり後ろに振る。

そのまま頭の上に。左足を上げる。右腕を後ろに引く。そして、左足をふみ出す。

豪のミットだけを見ていた。そこに自分の投げたボールが飛びこんでいく。音がした。ミットがボールをとらえた音だった。久しぶりに聞く音だ。身体の中を電気が走った。自分のボールを受けとめてくれる相手がいる。そのことがこんなにも心地《ここち》よい。

「もういっちょう」

返球。巧は、またミットに向かい合った。きっちり十球目。豪が首をかしげた。

「原田、本気で投げとるか」

「最初からそんなにとばせるかよ」

「じゃろな。このくらいの球なら、誰でも投げてるもんな」

一瞬、言葉が出てこなかった。頭の芯《しん》が熱くなる。返球されたボールを強く握りしめた。誰でも投げてるだと、ふざけんな。おれの球を、そこらへんの投手の球といっしょにするなよ。

「青波」

さっきから空き地の隅で、青波が見物していたのはわかっていた。返事がない。

「青波！」

怒鳴りつける強い口調で、弟の名を呼ぶ。

「おれのスパイクとってこい」

青波は、バネじかけの人形のようにとび上がり、家のかげに消えた。

「原田投手が本気になるんなら、永倉捕手《ほしゅ》もその気にならんといけんな」

豪が、スポーツバッグの上にかがみこんだ。

キャッチャーマスク、プロテクター、レガース。

一式そろっている。

「へえ、永倉捕手はちゃんと自分用の用具、持ってるんだ」

ミットやマスクはともかく、プロテクターやレガースまで個人で持っているものは少ない。かなりの値段がするはずだ。軟式《なんしき》の場合、試合にさえ使用しないこともあるのだ。

「そういえば、永倉の家は病院だってな。やっぱり、お金持ちのぼんぼんは、違うよな」

豪が、突然《とつぜん》立ちあがった。大またで、近づいてくる。あっと思った瞬間《しゅんかん》、胸倉をつかまれていた。

「原田、ええかげんにしとけよ。言《ゆ》うてええことと悪いことがあるんぞ」

豪の声は、低くて聞きとりにくかった。

「なんだよ、おまえだって、さっきおれの球をこのくらいの球だって言っただろうが」

「本気で投げてない球だって言《ゆ》うたんじゃ。ほんまのことじゃろが」

答えが返せなかった。

「おれの家が、金持ちだろうが貧乏だろうが、それが野球と何の関係があるんじゃ。原田巧てピッチャーは、野球に関係ないこと持ちだして、ぐちゃぐちゃ言《ゆ》うような、つまらん奴なんか」

巧の身体をつきとばすようにして、豪は手を離した。

「野球やろうや、原田。野球に関係ないことは、ほんまに関係ないんぞ」

「わかったよ」

やっと一言、言葉にした。相手の顔がまともに見られなかった。そうだ、豪の言う通りだ。親の職業も、学校の成績も、野球に何の関係もない。野球のボールを握りながら、関係ないことをへらへら口にした。自分の球を本気で受けようとした相手をからかったのだ。顔がほてった。

「兄ちゃん」

青波が、スパイクをさし出す。息がはずんでいた。

ほっとする。スパイクにはきかえる間は、豪の顔を見なくてすむ。顔のほてりもしずまるだろう。青波は、いつも絶妙《ぜつみょう》のタイミングを知っている。そんな気がした。

「ええな、今度、下手げな球投げたら、ぶっとばすぞ」

巧は、豪に答えるかわりに右腕を大きく回した。肩《かた》は軽い。準備は充分にできていた。豪が、かけ足で遠ざかる。巧は、足元の土を軽くならした。ここにはマウンドも投手板もない。野手もバッターもいなかった。なのに緊張《きんちょう》する。試合前の高ぶりが、身体の奥から波のように盛りあがってきた。

振りかぶり、足を上げ、投げる。

「ああっ」

青波が叫んだ。豪が、とび上がって捕球する。バッターがいれば、頭の上をはるかにこしていく暴投だった。

「原田、サインどおりに投げえよ」

「サイン？」

「ど真ん中、ストレート」

夕ぐれ前の春の空き地に、その声はよく響いた。まっすぐに、最速の球をと豪は要求してきた。巧は、軽く息をすいこんで、腕を振り上げた。身体ぜんぶの力をのせて球を放つ。ど真ん中。ストレート。

豪が短く声をあげた。うっとも、あっとも聞こえた。ミットに一度すいこまれたボールが、ぽろりと前に落ちる。

風がわずかに吹いてきた。汗《あせ》ばんだ首筋に心地よい風だった。

豪はミットを脇にはさみ、素手《すで》でボールをつかんだ。ていねいに泥をはらい、投げかえす。

「こぼすなよ」

巧が、声をかけた。

「一塁《るい》にランナーがいたら、完全に盗塁《とうるい》されてたぜ」

豪は、大きく息を吐き出して、汗をぬぐった。熱でもあるように赤い顔をしている。

「なんじゃ、一塁にランナーを出すつもりなんか」

「そりゃあ、一試合にひとりやふたりは出るかもな」

「三人までなら、許しちゃる」

豪が、ミットを構える。巧が、投げる。ボールは、やはり前にこぼれた。豪は、一言も口をきかなかった。

三球目も四球目も同じだった。しかし、五球目は、落ちてこなかった。ミットにがちっと捕《と》えられて、動かなかった。豪が口笛をふく。それから頭を振って大声を出した。

「どうじゃ、原田。つかまえたぞ」

「みたいだな」

「たいしたもんだろが」

「おまえキャッチャーだろが。ピッチャーの球をとるのが役目なんだぞ。いちいち、自慢《じまん》してどうすんだ」

「けど五球じゃぞ。五球目でちゃんと、とったんじゃからな」

そうだ、五球。たった五球でおれの球をつかまえた。

『おれが原田さんの球をちゃんとキャッチングできるようになるまで、どのくらい練習したと思ってるんですか』

中本修の涙声《なみだごえ》を思い出す。キャッチャーとしての力は修より豪のほうが上だ。それは、はっきりと感じていた。豪のミットに向かい合ったときほどの心の高ぶりを、修の構えに感じたことは一度もない。だから、修よりはるかに早く、豪が自分の球をキャッチングできるだろうとは思っていた。しかし、五球とは。たった五球。

「おーい。ぼんやりせんと、がんがんいこうで」

何がおかしいのか、豪は、ひとり笑っている。

ちきしょう。ふいに思った。唇をかみしめる。

こんな、いなかの県大会の二回戦で負けたチームのキャッチャーじゃないか。おれの球が、そんなに簡単につかまえられてたまるかよ。

しかし、豪はもう落とさなかった。巧の球は、まっすぐにミットに飛びこんで音をたてる。それだけだった。

「少し、散らせ」

巧の額から汗が流れだしたころ、豪がミットを横に振った。インコース低め。アウトコース低め。

豪の指示した場所に、球はまっすぐに飛んでいった。さっき感じた怒《いか》りは、いつのまにか消えていた。指示のままに全力をこめたボールを投げる。ほんとうに全力だった。自分の球を見せつけようとも、豪をたかがいなかのキャッチャーだとも思わなかった。自分の中にある力ぜんぶで、ボールを投げられる。そのことが嬉しかった。心の芯《しん》が熱を持ってリズムを打つ。そんな感情だった。

「原田。ちょっと休もうぜ」

豪が側に来た。息があらい。顔じゅうが汗でぬれていた。日がかたむいて、空き地はオレンジの色に染まっていた。黒い土の上にさらに黒く、人や建物の影《かげ》がのびる。

「いつのまにか見物人が増えとるぞ」

豪が顎をしゃくる。空き地の隅。青波の横に、洋三と青い作業服の三人がいた。気がつかなかった。青波のことさえ忘れていた。

「へえ、いい球、投げるんじゃな。さすが監督《かんとく》のお孫さんじゃ」

洋三の後ろで、作業服のひとりが拍手《はくしゅ》した。洋三は、振りむきもせずに言った。

「稲村、おまえ、打ってみ」

男は、手を打つのをやめて、巧と豪を見た。

「そりゃまあ。けど、いいんですかね」

「巧。豪。二、三球、おじさんの相手をしちゃれ」

「いいすよ」

豪が返事をする。

「ぼく、バット持ってきたよ。兄ちゃんのスパイクとりに行ったとき、持ってきたんで。グラブも持ってきたよ」

青波が、金属バットを二本さし出した。洋三が笑顔《えがお》になる。

「そうか、おまえは、ほんまによう気がまわる。たいしたもんじゃ」

稲村が、上着をぬいでバットを受けとる。また拍手がおこる。作業服のふたりだった。

「稲村さん、子ども相手に三振《さんしん》なんかせんといてくださいよ」

「がんばれ。おじさんの星」

ふたりは、肩をぶつけるようにして笑った。稲村も少し笑いながら、素振《すぶ》りをくりかえした。

「よおし、じゃ、お手柔らかにな」

「もう、いいんですか？」

巧が尋ねる。稲村は、やはり笑いながら手を振った。

「まずは、ど真ん中にいちばん速いやつ」

豪がささやく。巧は頷いた。

「永倉」

キャッチャーの位置にもどりかけた豪を呼びとめる。

「たぶん、だいじょうぶだと思うけど、落とすなよ」

「あん？」

「今度は、目の前でバットが振られるぞ。迷うな」

「おれのキャッチングの心配しとるってことは」

豪が、両手を腰《こし》にあてた。

「ボールは、絶対前に飛ばんてことだな」

「あたりまえだろ」

豪の顔がくずれて、子どもっぽい笑顔になった。

「なんか楽しい話してたんかい」

豪がキャッチャーの位置につくと、稲村が話しかけてきた。

「すごく楽しい話。最高ですよ」

「楽しいか。ええことじゃな」

稲村が、もう一度、素振りをする。ビュンと風を切る音がした。豪は、マスクをかぶり、ミットを軽くたたいてみた。洋三が、後ろに立つ。

「あれ、監督、審判《しんぱん》ですか。本格的じゃな」

「内野手もおるぞ」

青波がグラブを持って、巧の左後ろに立っていた。

「じいちゃんがここで守れって言《ゆ》うたんじゃ」

巧に向かって、大きな声を出している。稲村が顔をしかめた。

「危《あぶ》なくないですか。もしライナーがいったら」

「心配せんかてええ」

「しかし、いくら軟球《なんきゆう》といってもな」

「だいじょうぶじゃ。青波かてゴロぐらいならとれる。さっ、始めるぞ。プレー」

洋三が右手をあげた。

(原田、おまえのじいちゃんは、ボールが前に転がるとは、思うとるらしいぞ)

巧が、投球の準備に入る。腕、肩《かた》、腰、足。身体《からだ》の全部が流れるように動く。無理も無《む》駄《だ》もないオーバースローのフォーム。

きれいだな。

そう感じた瞬間《しゅんかん》、ミットに手ごたえがあった。

「スットライク」

洋三の声。稲村は、バットを振らなかった。振れなかったのだと、豪は思った。確信だった。

返球。ミットの下で右手を打者のほうに動かす。インコースの低め。即席《そくせき》のサインだったが、巧はわかったらしい。はっきりと頷いた。

（けっこう、素直じゃな）

首から背中にかけて軽い震えがきた。巧が自分のサインに頷き、その通りに投げてくる。嬉しかった。県大会でも中国大会でも、スタンドから見つめていただけの球だ。すごいな。心底、感心した。中本といううきびきびした小がらなキャッチャーが、羨《うらや》ましかった。感心することと羨ましがることしか、あのときの自分にはできなかった。しかし、今は、違う。新田の街はずれの空き地ではあるけれど、今、確かに原田巧と向かい合っているのだ。巧は全力で投げてくる。たぶん、中国大会のときより、力のある球だろう。それを自分は受けているのだ。

（稲村さん、次、振ってくださいよ）

心の中でつぶやく。少しでも実践《じっせん》的な練習がしたかった。答えるように、バットが動いた。スイングの風の音。しかし、ボールは、ミットの中だった。

顔を上げると、稲村の視線にぶつかった。

稲村が、速いなあとつぶやく。

「これが中学生の球なんか」

「まだ、中学生じゃないですよ。四月十日が入学式じゃけん」

何かいいかけた言葉をのみこんで稲村の唇《くちびる》が硬《かた》く結ばれた。

さっきまで視線の中にさえ漂《ただよ》っていた酔《よ》いと、酔いからくる浮《う》かれ気分が掻《か》き消える。

「タイム」

打席をはずし、唇をかみしめたまま、稲村は素振りを始めた。

「稲村さん、何しとんじゃ。打てれんかったら恥《はじ》じゃ」

「給料、さがるぞ」

見物のふたりが笑い声とともにやじる。稲村は何も言わなかった。バットを握り直し、両足をふみしめる。

（やっと本気になったな）

豪は、山なりのボールを巧にかえした。

返球を受ける。そして、
やっと、本気になったな。

巧は、胸の内でつぶやいた。

まったく大人ってのは、せわがやける。ため息が出そうだった。稲村たちは、ずっと豪とのキャッチボールを見ていたのだ。本気にならなければ打てない球だとわからなかったのだろうか。鈍《にぶ》い。腹が立つほど鈍い。

もし、巧が大人だったら、稲村は一球目から本気でバットを握っただろう。あるいは、とても打てないと断ったかもしれない。どちらにしても、遊び半分で、打とうとは思わなかったはずだ。

あらためて稲村の顔を見た。さっきまでの笑いが、消えていた。構えも違う。小太りの身体が、少しひきしまった。力が漲《みなぎ》る。

そうだ、本気になれよ。本気で向かってこい。子どもだとか小学生だとか中学生だとか、関係ないこと全部すてて、おれの球だけを見ろよ。

胸の中が、すっとする。巧は、ゆっくりと投球の動作に入った。どんなに本気になっても、甲子園の経験があっても、稲村に打たれるとは思わなかった。ビールを飲んで、笑いながら素振《すぶ》りをするような奴に、打たれる球ではない。野球に関しては、大人の稲村より、まだ十三にならない自分のほうが勝《まき》っている。確信していた。おそらく豪もそうなのだろう。ミットは、真ん中から動かなかった。強気だ。豪の強気が嬉しかった。ストライクゾーンの真ん中。全体重をのせて指先からボールを放つ。

バットが回った。金属音。巧と青波の間で球がはねた。二回バウンドした後、草の中に転がっていく。青波が追いついた。ワンバウンドの球を、豪の前にかえす。

「ナイス」

豪が叫ぶ。さけんだ後、小さく笑った。

「バッティングが、じゃないですよ。今の返球がナイスって言《ゆ》うたんですよ。稲村さん」

「わかってるよ。完全に振りおくれたなあ」

「セカンドゴロじゃ。ばかもん」

洋三の手が、稲村の腹をおした。

「この腹をちぃとひっこめさせろ。情けない。腰《こし》がぜんぜん回っとらん」

「監督、そんなに言《ゆ》わんといてください。もう一球、勝負させてくださいよ」

「何回やっても同じじゃ。五キロ痩せんと速球は打てれん」

そう言って洋三は、頭を振った。

「むかしのおまえは、シャープなバッティングをしよったのにな。情けない。まったく情けない」

「久しぶりにバット持ったんですよ。そんなに情けない情けないて言《ゆ》わんといてくださいよ。わかりました。五キロ痩せます。おれだって、悔しいんじゃから」

豪は、大声で笑いたいのをおさえながら、巧に走りよった。

「原田、おかげで稲村さん、五キロのダイエットをすることになりそうじゃぞ」

「前に転がったたな」

巧がつぶやいた。

「え？　何が転がったて」

「おれの球をちゃんとバットに当てたなってことさ」

マスクをはずして、巧の顔を見おろした。

「ど真ん中だったからな。当てるぐらいはするじゃろ。しかも、金属バットじゃ。芯《しん》に当たらんかて飛ぶ。セカンドゴロなら打たれたことにはならんぞ」

巧は、少しうつむいてボールをいじっていた。気に入らないときの癖なのだろう。下唇をきつくかんでいる。豪も、巧の球が稲村にヒットされるとは思わなかった。しかし、前に転がるぐらいは予想していた。

（こいつ、バットにかすりもせんと思うとったんか）

思っていたのだろう。甲子園を経験した相手に向かって、真ん中の直球を投げこんだ。それでも、バットにかすることさえしないと思っていたのだ。

「ものすごい自信じゃなあ」

むちゃくちゃと言っていいほどの自信だ。

「おまえ、その自信だけで、やっていけるでなあ」

本気で言った。巧が、ゆっくりと下唇をなめる。

「永倉、おむかえ」

巧の視線にそって振りむく。空き地の入口に節子と真紀子が立っていた。節子が腕時計をたたくまねをする。イライラしているのがよくわかった。

「わぉ、タイムリミット。時間ぎりぎりか。なあ、原田、明日はどうする。公園のグラウンドに行くか。あそこならマウンドがあるんじゃ」

「まかせる」

「じゃあ、昼飯食べたらむかえに来ちゃる。待っとれ」

手早く道具をしまうと、豪は洋三と稲村に頭を下げた。

「おっさきに。稲村さん、ごくろうさまでした」

稲村が少しだけ手を上げた。ずいぶん難しい顔をしている。

(小学校を卒業したばかりの奴にやられたんじゃ。かなり頭にきとろうな)

稲村の腹に目がいく。笑いがまた、こみあげてきた。

「豪」

腕を引っぱられる。節子だった。

「いいかげんにしなさい。何時じゃと思うとるの」

眉の間に、深いしわがよっていた。

「わかっとるって。そんなにむきになるなよ。母さん」

「何が、わかっとるよ。塾《じゅく》の時間までに三十分もないが。大人までいっしょになっとるから声をかけれんかったけど、あんたも少し考えんと」

何を考えるのか、よくわからなかった。今まで、この空き地で過ごした時間は、最高におもしろかった。巧の球を受ける以外、考えることは何もないような気がする。

メガネの奥で、節子の目が何度も瞬きをする。豪は、黙って歩きだした。

豪の後を追うように、稲村たちも帰っていった。

見送った後、真紀子が、軽くため息をついた。

「豪くん、忙しかったんでしょ。せっちゃん、ずいぶんイライラしてたもの。せっかく、手伝いに来てくれたのに、悪いことしちゃったみたい」

誰も返事をしなかった。真紀子の顎が、ひきしまった。

「あまり、他人に迷惑《めいわく》かけないようにしようね。巧」

巧は、眩しいものを見るように目を細め、母の顔を束《つか》の間凝視《ぎょうし》した。その言葉を疑問形でなぞる。

「迷惑?」

「だってそうでしょ。豪くんを練習につきあわせたりして、迷惑じゃない」

「どっちかというと、おれがつきあってやったんだけど」

「そうだよ。永倉のお兄ちゃん、すごく楽しそうだったで。けど、ぼく、あんまり上手にとれんかった。がっかりじゃ」

青波がグラブをこぶしでたたく。真紀子が、そのグラブを取りあげた。

「青波、少し休みなさい。あなたまでこんなことして。疲れたらまた、熱が出るでしょう。お父さん」

真紀子が洋三のほうに顔を向ける。

「青波は、それでなくても身体《からだ》がじょうぶじゃないの。この子まで、まきこまないでちょうだい」

「まきこむ……また、えらい言《ゆ》われかたじゃな」

「言いかた、きつかったらごめんなさい。だけど、わたしたちにはわたしたちのルールがあるのよ。青波には、きつい運動は無理なの。そこのとこ、よく理解しててね」

青波が、真紀子の腕を引っぱった。

「ママ、そんなことないよ。ぼく、なんでもできる。さっきもボール返したのは、上手だったろ」

「青波。お兄ちゃんやおじいちゃんの考えてる野球はね、遊びじゃないの。あなたには無理なことなのよ。さっ、汗《あせ》が出てるわ。着がえないと風邪ひいちゃうから」

「風邪なんか、ひかん。なっ、兄ちゃん」

青波が振りかえる。巧は、弟の声など聞こえなかったように黙《もく》したまま、手の中でボールを転がしていた。

「そんなこと、お兄ちゃんに聞いてわかるわけないでしょう。さっ、帰りましょう。お父さんも巧もいいかげんにしといてよ。夕食、アサリの酒蒸《さかむ》ししてあげるわ。お父さんの好物でしょ」

真紀子と青波がいなくなると、洋三は巧の顔をのぞきこむようにして言った。

「なんじゃあれは。酒蒸ししてあげるじゃと。おしつけがましい言いかたをしよる」

「じいちゃんが、青波にちょっかい出すからだよ。それでなくとも母さん、野球が嫌いなんだから。だいぶ頭にきてたみたいだぜ」

「頭にくるのは、こっちじゃ。久しぶりに帰ってきたと思うたら、ぽんぽん言いたいこと言《ゆ》いおってからに。先が思いやられる。広くんも気の毒に。えらいのを嫁《よめ》にしたもんじゃ」

ぶつぶつと文句をいう洋三が、おかしかった。巧は、祖父の肩《かた》を軽くおした。

「母さん、ふだんはもうちょっと優《やさ》しいよ。じいちゃんが青波にグラブ持たせたりしなけりゃ、だいじょうぶ。さっ、帰ろう」

「青波は、ええと思うがな」

洋三がつぶやく。巧は、足をとめた。

「青波の何がいいわけ?」

「目がな」

「目が?」

「おまえと豪のキャッチボールを見とったときの目がな、えかったな。ボールにずっと集中して、きらきらしとった。ああいう目をした子は、うまくなるんじゃがな」

「やめろよ」

のどの奥が震えるような大きさで声が出た。自分の声に驚く。

「さっき母さんも言ったろ。青波はだめだよ。身体が弱いんだ。野球なんかできっこないよ」

洋三が歩きだす。イライラするほど、ゆっくりとした足どりだった。

「身体が弱くとも、勉強ができんでも、野球はできる。足が悪うても、手がなくとも、耳が聞こえんでも野球は、できるんぞ。他人より強い身体を持っとるやつだけが、野球を楽しめるんと違う。間違うな、巧」

間違わないさ。間違ったことなんか一度もない。

巧は、洋三の視線を真正面から受けとめた。

「そりゃあね、みんなで楽しむ野球なら青波にもできるさ。それならそれでいい。母さんの機嫌の悪いのなんかほっときゃいいんだから。だけど」

「野球は、楽しむもんじゃ。それだけじゃ。楽しまんと野球やってなんになる。つぶれるだけじゃ。さっきの豪の顔を思い出してみぃ。じつに楽しそうな顔しとったろうが。青波だってじゃ。わしがグラブをわたしたとき、ほんまに楽しそうに笑《わろ》うたぞ。あの子らは、うまくなる」

顔から血がひいていくような気がした。それと反対に身体の中が熱くなる。自分の前にいる白髪《しらが》の老人を殴りたおしたい。そんな凶暴《きょうぼう》な思いがわきあがる。

巧は、グラブとボールとスパイクを洋三に手わたした。

「玄関《げんかん》においといてよ」

「おまえ、どうするんじゃ」

「ついでにランニングしてくる」

祖父の顔を見たくなかった。視線を合わせてしまったら、ほんとに殴ってしまいそうな気がした。

ストレッチもそこそこに走り出す。

門をぬけ梅の香《か》に見おくられて、昨日と同じ道を走る。ただ走る。神社に向かって走る。何も考えずに走ればいい。そう思うのに、頭の中に洋三の言葉がわきあがる。メタンガスのあぶくのようだ。

青波の目がどうだっていうんだ。永倉の顔がなんなんだ。じいちゃんは、おれのことを見ていなかったのか。おれの球も、おれのフォームも、おれのコントロールもスピードも、何一つ見ていなかったのか。

ちきしょう。

巧は顔を上げ、足に力を入れた。目の前をツバメがよぎる。ピーチュと高い声がした。
あっ、ツバメって鳴くんだ。
ふっと足の力がゆるんだ。ツバメは、あざやかに反転し、すぐに視界から消えた。

5　勝　負

次の日、豪は昼前にやってきた。薄《うす》い青のトレーニングウエアを着て、赤いキャップをかぶっている。

「おーい、原田。いいもん持ってきてやったぞ」

巧より先に、青波が玄関《げんかん》にとび出した。

「いいもの？　何？」

豪の指が、ひらく。「あっ、カエル」と青波が手をのばした。

緑色の小さなカエル。巧は、昨日よりずっと大人っぽく見える豪のかっこうを見て、肩《かた》をすくめた。

「永倉、おまえ、かっこうのわりに、ガキっぽいな。カエルがそんなにいいもんかよ」

「まあ、見とれ」

豪が、カエルを水槽《すいそう》の中に入れる。冬眠《とうみん》からさめたばかりなのだろうか、カエルは、しばらく水面にぼんやりと浮いていた。その後足が、ほんの少し動いた瞬間《しゅんかん》、水底にじっとしていたブルーギルの尾《お》ビレが小石をたたいた。水槽の水がゆらっと揺れる。そして、カエルはいなくなった。巧と青波は顔を見合わせた。手品のようだった。あっというまにカエルを飲みこんで、ブルーギルは、また、元の場所で動かない。その口が少しゆがんで、笑っているように見えた。

「なっ、すげえ早業《はやわざ》じゃろ」

うんうんと青波が頷く。

「これから暖こうなったら、カエルがなんぼでも出てくるけんな。一日三匹《びき》ぐらいやれよ。小さいトカゲでも食うぞ」

豪に向かって、青波は何度も頷く。

(あの子らは、うまくなる)

昨日の洋三の言葉が浮かぶ。巧は、頭を横に振った。

「原田、じゃ、行こうで」

「待てよ。昼飯、まだなんだよ」

「いいよ。そんなもの。おばさーん」

豪は、首をのばすようにして真紀子を呼んだ。

「はいはい。あら豪くん。昨日はおせわさま」

「おばさん、昼飯、焼き飯でしょ。ええ匂いがしとる」

「あら、いい鼻してるのね。たくさんあるから豪くんもいっしょにどうぞ」

「あっ、そうですか、それじゃおれの分もいっしょに、タッパーかなんかにつめてください」

真紀子が、えっ、と聞きかえす。

「これから、みんなで原田の歓迎会《かんげいかい》するんです。一品持ちより大パーティー。早く早く。おねがいしまーす」

豪の手がばたばたと動く。その動きにあやつられるように、真紀子は急ぎ足で台所に消えた。

「ぼくも、ぼくも行ってええじゃろ。豪ちゃん」

「もちろん。おばさーん、青波の分も」

「えー、青波まで。そんな迷惑《めいわく》よ」

強くなった焼き飯の匂いとともに、真紀子が返事をする。

「みんなでわいわいやるんじゃけん。ええんです」

そこまで言って、豪はふいに巧のほうに身体《からだ》を向けた。

「原田、何ぼけっとしとんじゃ。早《はよ》う用意してこいや。ボールはあるけん、グラブとスパイク。あっ、練習用のユニフォームがあったらそれも。おれも自転車に積んどんじゃ」

「よく言《ゆ》うよ。自分ひとり、かってにさわいで。なにが歓迎会だ。そんなこと、誰がいつ頼《たの》んだんだよ」

口調が思わずきつくなった。ぼけっとしているなんて言われたのは初めてだ。気に障《さわ》る。そして、何か逆らわなければ、豪のペースのままに動いていくような気がして、少しいらだつ。わけのわからないまま他人の言う通りに動くのは、嫌だった。がまんできない。

「お遊びで野球やるんなら、おれは遠慮《えんりょ》する。青波つれて行って、かってにやってろよ」

「おこるなよ。説明不足じゃった。あやまりまーす」

豪が身体をくの字にまげて、頭を下げる。

「じつはな、昨日、塾《じゅく》で東谷《ひがしだに》や沢口《さわぐち》に会《お》うたんじゃ。おれと同じチームのファーストとセカンド。で、原田のこと話したら、いっしょに練習したいて言《ゆ》うんじゃ。別にええじゃろ。原田だって、マウンドからバッターに向かって投げたほうが、実践《じっせん》的な練習になるじゃろう。キャッチボールだけよりずっとええはずじゃ」

確かにその通りだ。豪は、身体を起こして巧を見ていた。まじめな顔だった。

「昨日、キャッチボールやってみてわかったんじゃけど、原田はすごい。ほんまにすごいピッチャーじゃと思う」

面と向かった相手から、こんなに露骨《ろこつ》に称賛《しょうさん》されたことはない。言葉につまった。貶すのも褒めるのも、へんに正直な奴だな。

巧は、黙ったまま豪の顔から目をはなさなかった。

「すごいと思うたのは、キャッチボールのときより稲村さんがバッターで立ったときのほうが、球に力があったからじゃ。コントロールかてよかった。そうじゃろ。たぶん、バッターボックスにバッターがいたほうが、はるかにええ球を投げられる。本格的な試合ならもっとすごい球を投げられる。だろ？」

豪が笑う。あの子どもっぽい笑顔だった。

公園は、神社の近くにあった。山すその林を切りひらいてつくったと、ひと目でわかるような場所だった。周りを雑木が囲んでいる。春から夏の終わりまで、葉がしげり、緑の壁《かべ》のようになるのだと豪が言った。

隅《すみ》に水色のすべり台と小さな砂場があるだけの、がらんとした公園だった。真ん中にピッチャーズマウンドがつくってある。白いゴムのプレートがうめこまれていた。

無造作に土を盛りあげたのかと思える程《ほど》の粗末《そまつ》なものだったが、マウンドには違いなかった。久しぶりに、マウンドという場所を目にする。雑木の枝を揺《ゆ》らし、土の香《か》を運んで吹《ふ》きつける風に髪《かみ》をなぶられながら、巧は、その場所から視線をはずせなかった。

「おーい、原田。こっち、こっち」

豪の声に顔を上げる。青波と豪が、雑木の間から手を振《ふ》っていた。

「練習の前に歓迎会しようぜ。みんな待っとんじゃ」

「みんなって、どこに?」

豪の後ろは、雑木林だった。名前も知らない白い花が、青波の足元に群れて咲《さ》いていた。

豪の後について雑木林の中を歩く。下枝がからまりあった下を、身体を低くして歩く。

「トンネルみたいじゃな」

青波が、はしゃいだ声をあげた。雑木のトンネルをぬけると小さな草地が開けた。人工的なものなのか、自然にできたものなのか。やや広めのリビング程の草地は、ほぼ完全な円形で、やはり白い花が咲いている。そこにユニフォーム姿の少年が五人、座っていた。

「豪、おせえぞ」

やせた色白の少年が、カンに障るほど高い声で言った。

「おっ、江藤《えとう》、久しぶり。おまえまで来るとは思わんかった」

「来たらいけんかったか」

江藤と呼ばれた少年が、顔をゆがめる。

巧は、神経質に上下する少年のまぶたが気になった。

豪が、咳払いをひとつして右手を巧に向けた。

「えー、それではみなさまにご紹介《しょうかい》いたします。かのホワイトタイガースのエース……」

「永倉、ふざけるなよ」

巧は、豪のわき腹を軽くこづいた。豪は舌を出して、顔をしかめた。

「わかった。まじめにやる。原田巧くんじゃぞ。おれは昨日、球を受けた。はたで見とるよりずっとすごい球じゃった。豪くん感激ってとこじゃな。えっとそれで、こっちから東谷。ファースト三番。けっこう長打力もあるな」

丸顔の、がっしりした少年が微笑んだ。

「次が、沢口。セカンド一番。足が速い。手もはやいし、頭にくるのもはやいから気をつけえや」

「ばぁか、何言よるんなら」

大きな耳をした、小がらな少年が笑う。次が江藤という少年だった。まだ、瞬きをくりかえしている。

「江藤。ライトで二番。バントはすげえ。名人級。たいていの球は前に転がせる。後は、四年生の良太《りょうた》と真晴《まきはる》。このふたりはおまけでついてきたな」

「おまけじゃねえよ」

「そうじゃ、豪ちゃん。ちゃんと紹介してくれえ」

四年生ふたりが、口をとがらせる。

「へいへい。良太と真晴は、次の次のバッテリー候補です。良太はけっこう肩が強くて、ええ球を投げる。ただし、真ん中にしか球が投げれんのんじゃ。真晴も肩は強い。打つほうは、いまいちじゃけどな。なんでもやたら振るくせがあるんじゃ。ブルーギルを釣《つ》りに行ったとき、いっしょにおったんじゃけど、気がついとったか」

気がついていた。夕ぐれの闇《やみ》の中で、豪ちゃんバイバイと手を振った少年たちだ。

それにしてもと、巧は、豪の横顔に目をやった。

よく知っているなと思う。巧もチームのレギュラーなら、守備位置から特徴《とくちょう》まで、だいたいわかっていた。あたりまえのことだ。しかし、レギュラー以外、まして三、四年生のことなど何も知らなかった。知ろうとも思わなかった。自分とも、自分の野球とも、何の関係もないと思っていたのだ。しかし、豪は知っていた。今年四年生になるということは、やっとボールになれて野球らしいことができるようになった。そんなところだろう。

そんなちびすけ一人ひとりのことを、くわしく知っているんだろうか。

知っている。確かに知っている。そんな気がした。すごいな。ふっと思う。おとといは、青波をすごいなと思った。今まで、他人をすごいなんて感じたことなどなかったはずだ。しかも、弟に対しても永倉豪という少年に対しても、野球の技術や姿勢とは全く無縁《むえん》の部分を〝すごい〟と感じている自分に少し驚《おどろ》いた。

「原田、座れよ」

豪に手を引っぱられて、巧はしゃがみこんだ。前に青いビニールシートがしかれて、ジュースや巻ずしや菓子袋《かしぶくろ》がならんでいた。真紀子のつくった焼き飯と野菜サラダもある。

「ほら、青波も座れ。真晴の横。新学期からいっしょの学年になるんじゃけんな」

「セイハ？　名前なの、それ？」

真晴の黒目がくるんと動いた。

「うん、青い波と書くんじゃ」

「あっ、ブルーウェーブか。なんかオリックスみたいな名前じゃな」

「かっこええな」

良太がわっと口をあけて笑った。前歯が一本ぬけて、四角い穴のように見える。

四年生三人は、おにぎりやポテトチップを頬ばりながら、しゃべりはじめた。巧は、顎のとがった青波の横顔を見ていた。しゃべるのと食べるのをいっしょにするので、ポテトチップのかけらが口からこぼれて落ちる。

青波は、あっさり良太や真晴の中に入っていった。笑い、しゃべり、食べている。意外だった。もっと、ひっこみじあんな性格だと思っていた。

「青波、大人しいし、ひっこみじあんだから。巧、ちゃんと守ってやってね。気をつけてやってよ」

青波が一年生になったとき、毎日、真紀子に言われ続けた言葉だった。最初のうちこそ、頷いていたけど、そのうちめんどうくさくなり、野球に夢中になり、弟のことなど忘れていた。けれど、学校で目の隅に青波の姿をとらえることは、たびたびあった。教室で本を読んでいる。サッカーゴールにもたれて、体育を見学している。突然《とつぜん》、熱を出して保健室のベッドに寝ている。たいてい、一人だった。青波は、一人でいるか真紀子といっしょにいるか、どちらかだと思ってきた。

だから、今、目の前で良太や真晴と笑いあっている弟が、ふしぎだった。巧の知っている青波とは違う青波のようだ。あっと、心の中で何かが動いた。豪がわたしてくれた缶《かん》ジュースを強く握る。

知っている。知っている。知っている。いや、青波のこと、ほとんど知らなかった。知ろうともしなかった。

朝起きて、学校へ行く。帰るとすぐ、野球の練習。夕食の後もランニングとピッチング練習を欠かさなかった。青波と話をする時間などなかった。青波だけではない。父とも母ともゆっくり話をすることなど、なくなっていた。

もっとも、肝臓《かんぞう》を悪くするまで広もたいてい家にはいなかった。たまに日曜日、試合にでかける巧に、パジャマ姿のまま声をかけることがあったぐらいだ。五年生になってすぐ、地区の春季大会があった。初めて、先発としてマウンドに上がる日だった。ユニフォームを着て玄関《げんかん》を出ようとした巧に、めずらしく家にいた広が尋ねた。

「巧、おまえ、ポジションどこなんだ」

巧は振りかえり、しまもようのパジャマを着た父を見た。

この人は、ほんとに何も知らないんだ。

あのとき、瞬きするほどのほんの短い間だったけれど、全身がカッと熱くなったのを覚えている。その熱が視線に伝わり、険しいものとなったのか、広が訝しげに、顎を引いたのも覚えている。

この人は何も知らない。だけど、自分も青波のことを何も知らなかったじゃないか。父と同じなのだ。じゃあ、これからは……。これからは少しずつわかってくるのだろうか。おとといと昨日と今日。おろち峠《とうげ》を越《こ》えてから三日。その間だけで青波は、病弱な大人しいだけの青波ではないとわかったのだ。広と真紀子の結婚《けっこん》のことも、真紀子のはずんだ方言の言いかたも初めて知った。今まで、ばらばらで自分に関係なかったことが絡《から》まってくる。わかってくる。そんな気がする。

うっとうしいかな。

ジュースの缶を握りしめる。手のひらが冷たかった。

「おい原田」

わき腹をつっつかれた。

「おまえ、何ぼんやりしとんじゃ。早《はよ》う食わんと、すしも焼き飯も、のうなるぞ」

豪の頰に、ごはんつぶがついている。巧はリンゴの缶ジュースを一口、飲み下した。

セカンド一番。足の速い沢口が、巻ずしとイチゴののった皿をわたしてくれた。

「このイチゴ、おれんとこで作ったんじゃ。ハウス栽培《さいばい》の女蜂《にょほう》てやつ」

そう言って、なぜかぺろりと舌を出す。

「沢口の家は、大きな農家なんじゃ」

豪が横からイチゴをひとつ、つまみあげた。

「友達になっとったら得じゃぞ。これからは、イチゴじゃろ、それから桃《もも》、スイカ、ブドウ。おれなんか去年、ブドウの袋づめを手伝いに行ったんでな」

「豪はあかん。手伝《てつど》うちゃるいうて来て、食べたほうがだいぶ多かった」

「あの後、腹をこわしてしもうてたいへんじゃった」

豪はまじめな顔で言ったのに、四年生たちが笑いくずれた。

「ピーピーになったんじゃろ」

「豪ちゃん、もうブドウは見とうないて言《ゆ》うてたもんな」

巧は、大粒《おおつぶ》のイチゴをひと粒、口に入れた。甘い。果物《くだもの》の甘さと、たっぷりの汁《しる》が広がる。ジュースとは、まるで異質の柔《やわ》らかな甘味だ。

「うまいな」

「だろ」

沢口が片手いっぱいのイチゴを皿にのせてくれる。

「うちのイチゴはハウスもの言《ゆ》うても、露地《ろじ》ものとかわらんぐらいうまいじゃろ。天気のええ日は、ハウスの天井《てんじょう》をあけて、たっぷり太陽にあてとんじゃ」

「また、偉そうに自慢《じまん》してから。おまえ、家の手伝いなんか、ぜんぜんせんくせに」

東谷が沢口の頭をひじでこづいた。

「いてえな。なんじゃ、おまえかて家の手伝いなんかしとるとこ見たことねえぞ。あっ、こいつの家は『天満寿司《てんまずし》』て、すし屋なんじゃ。スーパーの前の『天満寿司』。この巻ずしも東谷のお父様がお作りになりました」

東谷は巻ずしを持ちあげて、中の具を指さした。

「みなさま、この卵にご注目ください。シャリの酢《す》かげんにぴったり合う甘さ。新鮮《しんせん》な卵の風味もばつぐんよ」

四年生たちがまた、笑い転げた。ともかくよく笑う。

「そうじゃ。東谷とも友達になっとくと得じゃ。ただですしが食べられるぞ」

豪が巧のほうへ巻ずしの皿をおし出す。

「永倉は、食べ物で友達決めてるんだ」

巧の冗談《じょうだん》に、豪は、巻ずしをほおばったまま顔を横に振った。

「わぉ、そりゃ誤解じゃ。東谷も沢口も江藤もおれも、ずっと新田スターズでいっしょに野球してきたんじゃ。もちろん、中学でも野球するしな。そういう仲なんじゃぞ。決して食べ物だけの仲間ではありません。これに原田投手が加わる、なっ？」

東谷と沢口が頷く。豪は念をおすように巧の顔を見た。巧も、かすかに笑って頷いた。

「すげえぞ。新田東中の野球部は強うなる。全国大会の優勝も夢じゃねえな」

「今のうちに、インタビューとかサインの練習しとくか」

沢口の言葉に、四年生三人が笑う。拍手《はくしゅ》する。新芽をつけた小枝がゆれるほど、にぎやかになる。

「ネクラじゃな」

耳元でぼそっと声がした。横を向く。江藤の顔があった。まぶたはまだ、上下に動いている。

「なんだって」

「何も言《ゆ》わんと、ぶすっとしとるからさ。えらくネクラじゃなと思うて。それとも、天才原田くらいになると、おれたちとは、あほらしゅうて口もきけないわけ？」

突然《とつぜん》、江藤の瞬きがとまった。一重《ひとえ》の細い目が、下からすくいあげるように巧を見てくる。

巧は、その目と目の間に、イチゴをぶつけてやろうかと思った。口の中には、とりたてのイチゴの甘さが残っている。

こんなうまいもの、無駄にするのもったいないか。

思い直して、イチゴを口に入れる。江藤が、おいと太い声を出した。

「なんで返事せんのんじゃ。無視する気か」

「返事するようなこと、そっちが言ってないだろうが。おれがネクラだろうが天才だろうが、おまえに関係ないだろ」

「態度でかいて言《ゆ》うとんじゃ。みんなで歓迎会《かんげいかい》してやっとるのに、もう少し嬉しそうな顔してもええんじゃないのか」

「どんな顔しててもかってだろうが。何ぐだぐだ言ってるんだ。よっぱらいのじいさんみたいだぜ」

「なんじゃと」

「江藤」

豪の腕《うで》がのびて、江藤の膝をおさえた。

「何、かりかりしとんじゃ。せっかく久しぶりに会《お》うたのに、おまえこそぶすっとして、どないしたんじゃ？」

「べつに」

江藤は、飲みほしたジュースの缶を放《ほう》り投げた。オレンジ色の缶は雑木の幹にはねかえり、かわいた音をたててから、草の中に転がった。

「おれ、あんまり時間ないからな。やるんだったら早《はよ》うやろうで。先にグラウンドに出とくぞ」

江藤は立ちあがり、東谷や沢口をかきわけるようにして、雑木のトンネルに消えた。

「しまったな。あいつのこと忘れとった」

豪がつぶやく。それから、説明するように巧のほうに向いた。

「江藤は、頭がよくってな、ここらへんからはひとりだけ、広島のほうの有名な私立中学に合格したんじゃ。ずっと、いっしょに野球してきたんじゃけど、六年になってからは勉強が忙しゅうて、なかなか試合にも練習にも出てこれんかってな。さっきライトで二番なんて言《ゆ》うたけど、この一年はほとんどレギュラーで出ることなかったし……うん、今日は、ほんまに久しぶりに、ユニフォームのかっこうを見たな」

「だから、なんだって言うんだよ」

巧は、少しいらついていた。今日会ったばかりの江藤という少年が、どんな頭をしていようがどこの中学に行こうが、関係なかった。なんの関心もないことをぐだぐだ聞かされるのは嫌だった。

「だからな」

豪は、ゆっくりと一言、一言おさえるような言いかたをした。

「だから、おれが悪かったんじゃ。みんなで新田東中の野球部に入ろうなんて言うたけんな。江藤にしてみたら、やっぱりちょっと、さみしかったかなと思うてな」

「永倉、おまえ、ばかか」

ばかと言われて、さすがに豪の表情が硬くしまった。

「ばかとは、なんじゃ」

「だってそうだろ。広島の中学に行くのも、受験勉強が忙しくて野球ができなかったのも、あいつのかってじゃないか。なんで、おまえが言うことまで気をつかわなきゃいけないんだ。さみしがってるなら、かってにさみしがってろって言ってやれよ」

豪の顔が少し赤くなる。

「けどな、けどな。江藤、今日は来たじゃねえか。ちゃんとユニフォームまで着てきたじゃろが」

「だからなんだよ。野球しようと思えばユニフォームぐらい着るだろ」

「だから、ほら、江藤はやっぱり野球がしたかったんじゃ。そうでなかったら、ユニフォームを着てみようなんて思わんじゃろが。誰だって勉強するより好きなことしたいて思うじゃろ。それをがまんして、ずっと勉強してて、やっと試験に受かって、久しぶりにみんなと野球をしようと思ったら、みんなが新田東中の話なんかわいわいやっとって、なっ、やっぱり、ちょっとさみしいわな」

巧は、笑い出してしまった。豪の表情がますます硬くなる。

「なんじゃ、何がおかしいんじゃ」

「だって、よくそこまでごちゃごちゃ考えられると思ってな。聞いてて、あほらしくなる」

野球というのは、もっとかわいてサラサラしたものだと巧は思っている。どこにどんな球を投げこんだら、バッターをひとり打ちとれるか。どんなスイングをして一球を打ちかえすか。どんなダッシュをして飛んできた球をとらえるか。そういった技術を高めていく。高い技術をからませてひとつの試合を造っていく。色あざやかな糸で美しい布を織るように、丁重《ていちょう》に造りあげていく。そこには、さみしいだろうとか気を悪くしたかななんて心づかいは無用だと思う。ごちゃごちゃした感情はいらないのだ。むしろ邪魔《じゃま》になる。巧は豪に対して本気で不安になってきた。

「まさか試合中にも、そんなこと考えてるんじゃないだろうな」

「どういう意味だよ」

「だからさ、バッターに対して、こいつは怪我をしてるから気の毒だとか、さっきエラーしたからかわいそうだとかさ、考えたりして」

「ばかっ、そんなこと考えるか」

豪の声が、雑木林に響く。

「ならいいよ。つまんないこと考えながらリードされたら、たまんないもんな」

しばらく、誰も何もしゃべらなかった。かすかな風の音が、はっきりと聞こえた。

「豪は、リードうまいよ」

沢口が東谷に「なっ？」と声をかけた。東谷が頷く。

「うん、うまいよ。新田スターズのエースは、関谷《せきや》って五年生で、そんなにすごい球投げる奴じゃなかったけど、豪のリードのおかげで、わりに抑えとったもんな」

「そうそう、県大会でもけっこう通用したけんな」

巧は立ちあがり、ジーンズの前を軽くはたいた。

「これからは、県大会でけっこう通用するぐらいじゃ、すまないんだろ、永倉。ピッチャーのレベルに合わせたリードのやりかた、考えろよ」

豪は、顔を上げて巧をにらんだ。

「言われなくても考えるに決まっとろうが。原田が、そんなにリードのこと気にするとは思わんかった」

「気になんかしてないよ。ただ、永倉がつまんないことばっかり考えて……」

「兄ちゃんは、考えるのがたらんのとちがう？」

後ろで、青波の声がした。振りむく。青波の口の側に、まだポテトチップのかけらがついていた。

「何言ってるんだ。ちびが、口出しするな」

「だって、この前野球のテレビ見てたらな、バッターの心理を読むのも大事ですねて言《ゆ》うとったもん。ママに心理って何て聞いたら、心のことって教えてくれたで。さみしいとか、かわいそうだとかいうのは、心のことじゃろ。ほんなら、そんなことも考えんといけんのんじゃろ」

口元をこすって、青波はにっこりと笑った。

「兄ちゃん、心のこと考えたほうが野球、強くなるんで、きっと」

豪が、高く口笛をならした。

「青波の言《ゆ》う通り。原田は、考えがたらんかもな」

沢口と東谷が顔を見合わせて笑った。

なんだこいつら。青波までいっしょになって何言ってんだ。

「さっ、野球しようぜ」

豪が、大声でそう言った。身軽に立ちあがり、雑木林にむかって顎をしゃくる。

「みんな、悪いけど後片付けしといてくれや。原田、更衣室《こういしつ》に案内しちゃる」

「更衣室？」

豪が案内したのは、雑木の中の小さな空き地だった。

「これから葉っぱがしげってくると な、小さな緑色の部屋みたいな感じになるんじゃ。まわりからぜんぜん見えんようになるし、ええ更衣室じゃろ」

「ガキっぽいな」

巧はトレーナーをぬいで、枝にひっかけた。

はだかの肩《かた》に、春先の林の空気が心地《ここち》よく冷たい。

「なんで、ガキだといけんのんじゃ」

ぽつんと豪が言った。アンダーシャツに腕を通したまま、巧は横を向いた。豪が、まっすぐに見つめていた。

「原田の球がすごいのは、ようわかっとる。けど、すごい球を投げても、ガキはガキじゃろ。もう少しで中学生になるガキ。そういうことじゃろ」

「なんで、いちいち、ごちゃごちゃ言うんだよ。おまえといると、イライラしてくる」

「おれでなくても、イライラしてんじゃろ。原田見てると、ガキって思われるのが、すごく嫌だって感じがしてな。早く大人になりたいわけか?」

「じゃ、永倉は、ガキって言われたら、嬉しいのかよ」

「いや、べつに嬉しいことないけど、原田ほど、かりかりせんでもええかなと思うただけじゃ」

「思うだけにしとけよ。いちいち口に出すなよな」

ユニフォームのベルトを思いっきりしめた。腰《こし》のあたりにきゅっと力が入る。深呼吸を一つすると、若葉の青っぽい匂いが身体《からだ》にしみこんできた。スパイクをはく。帽子《ぼうし》をかぶる。そして、グラブを手にはめる。

さっ、野球ができる。

そう思っただけで、心が落ちついた。

「そうじゃな、原田の球だけは、ガキじゃあねえな。大人にちゃんと通用したけんな」

豪が、ボールを一つ、投げてよこした。

軽いランニングとキャッチボールの後、マウンドに上がった。豪が、キャッチャーの姿で側に立つ。

「じゃあ、ええな。沢口から順番に打たせてもらうぞ」

「いいけど、おれはバッティングピッチャーはやらないぜ」

「わかっとる。みんな、原田が本気で投げた球を打ってみたいんじゃ。かげんせんかてえ。OK。沢口、江藤、東谷の順でバッターボックスに入れ。沢口が打つときは、江藤が一塁《るい》。東谷はショートを守れな。ただし、一塁は、特別にタッチプレーにしようぜ。審判《しんぱん》がおらんのじゃけんな」

「豪ちゃん、ぼくらは」

良太がかん高い声を出した。

「えー、おまえらか。しかたないな、外野守れ」

良太と真晴がかけだす。巧は手を腰にあてた。

「外野なんか、いらないけどな」

「球が前に飛ばんて言いたいんじゃろ」

豪のミットが軽く肩をつっついた。

「ねえ、ぼくも外野に行ってもええ?」

木の下のベンチに座っていた青波が、走ってきて言った。

「おまえが? ばか、冗談《じょうだん》言うなよ。また、熱でも出たらどうするんだよ。座って、大人しく見物してろ」

「だいじょうぶ、熱なんか出んもん。なっ、外野って三人じゃろ? ぼくも行く」

「だめだ」

「やだ、兄ちゃんのばか」

青波は、巧のベルトをつかんで引っぱった。だだっこのような、激しさがあった。青波にばかと言われたのは初めてだ。目に涙《なみだ》がたまっている。こげ茶色の瞳《ひとみ》。

あっ、こいつ、じいちゃんと同じ目をしているんだ。

そんなことを思った。豪が青波の頭に手をおいた。

「わかった、わかった、こんなとこで兄弟ゲンカすんな。青波はセンターに行け。外野の真ん中、わかるな。グラブを忘れんなよ」

青波は頷いて、かけだした。

「知らないぞ。あいつ、やたら熱出すんだから」

「おれんちの商売、病院じゃからな。解熱剤《げねつざい》ぐらいちょろまかして、ただでやるがな」

巧は、帽子を深くかぶりなおした。マウンドに立ったときの気持ちの高ぶりが鎮《しず》んでいく。

熱が出たときの青波は、本当に苦しそうに喘ぐのだ。顔を赤くして、荒《あら》く速い息をする。うるんだ目をとじて、かさかさにかわいた唇を、ときどき動かす。

巣から落ちて死ぬまぎわの、ヒナのように見えるのだ。

巧は、プレートの横の土を軽くけった。

なんで、マウンドに立ってまで、青波のこと考えなきゃいけないんだ。今までの青波だったら、絶対マウンドに近づいたりしなかった。遠くで見てるだけだった。それなのに……。

巧は、顔を上げた。

「どうした?」

豪が、尋ねる。

「べつに。早く始めようぜ」

「ウォーミングアップはもういいか」

「充分《じゅうぶん》」

「よし。やろう。一人ひとりがアウトになるまでやる。守備の人数がたらんけん、ピッチャーには不利じゃけど関係ないじゃろ」

「関係ない」

「サインは、どうする？　簡単なの決めとくか」

「いらないよ」

「いらんて？　全部、真ん中に投げこむんか」

巧は、笑って豪のミットをたたいた。

「それじゃ、バッテリーの練習にならないだろ。声出して指示しろ。おまえの言うところに投げてやるよ」

「それじゃ、まるっきりバッターにわかってしまうな」

「それくらいのハンディは、いるだろ」

背の高い豪の顔を見あげて、巧はまた、かすかに笑った。

豪は、かけ足でキャッチャーの位置にかえった。拳で一度、ミットの真ん中をたたく。いい音がした。

「沢口、バッターボックスに入れ。一球目は、真ん中直球がくるぞ」

「えっ、なんじゃ。球筋、教えるんか」

「まあな。ええか、打とうとするな。バットに当てることを考えて振《ふ》れ」

「なんか、絶対打てんて言《ゆ》うとるみたいじゃな」

豪は、ストライクゾーンの真ん中にミットを構えた。巧が、ゆっくり腕を上げる。あの速くて重さのある球が、自分のミットの中に飛びこんでくる。身体が緊張《きんちょう》した。巧の指から、ボールが離れた。

「あっ」

沢口と豪が、同時に叫んだ。バッターの前でワンバウンドしたボールは、土をはねとばして豪の横をぬけようとしていた。考えるまもなく身体が動いた。両足の間にミットをおいて、球をおさえる。

「なんじゃ。真ん中じゃないんか。ミスじゃな」

沢口が、くすりと笑う。

（ミス、失投。ばかな。そんなことが、あるもんか）

失投するようなフォームではなかった。帽子《ぼうし》のかげになっている巧の目が、笑っているような気がした。

（あのやろう。わざと投げたんじゃな）

ふいに、そう思った。たぶん、キャッチングを試《ため》してみたのだろう。

（まったく、すげえ性格しとるな）

豪は、力いっぱいボールを投げかえした。


豪からの返球をグラブで受けとる。ライナーをとったときほどの強い衝撃《しょうげき》があった。

おっ、かなり頭にきちゃったな。

豪の構えを少しくずしてみたかったのだ。くずれながら、どこまでボールについていくのか試してみたかった。巧自身は、他人に試されることなど大きらいだ。しかし、他人を試すことに抵抗《ていこう》はない。むしろ、豪のキャッチャーとしての力量を徹底《てってい》的に試してみたいと思っていた。キャッチャーのミスで負けた試合を二度経験している。

しかし、あいつ、うまいな。

あの大きな身体が柔《やわ》らかく動いた。かなり左にそれた球を、あぶなげもなく捕球《ほきゅう》した。

合格点。巧は、ロージーンバッグを軽くはたいた。球を握り直す。豪に向けて、大きく足をふみだした。

「うわあ、速《はえ》えなあ」

バットを構えたまま、沢口が言った。ミットにボールが入った後、ひと呼吸おいてからだった。

「バットぐらい振《ふ》れや。ど真ん中じゃぞ。次は、内角の低め。ストライクゾーンすれすれ」

「えー、そんなとこ当たるかな」

沢口が顔をしかめた。ボールは、豪の要求した場所にまっすぐに入ってきた。沢口のバットが回った。完全に振りおくれていた。次の球も内角、やや高め。

バットにかすりもしなかった。

「沢口、おまえ、ええかげんにせいよ。せめて、当てるぐらいのことせいや」

「いや、やっぱり速いのう。ぜんぜん、違うなあ」

沢口が舌を出す。

(ばかか!　何が違うんじゃ。同い年じゃねえか)

そう怒鳴《どな》りたいのを腹に力をこめてこらえた。いくら速いといってもコースを指示しているのだ。しかも、その指示の通りに、おもしろいほど正確に、ボールはやってくる。打とうという気があるのなら当たらないわけはないのだ。マウンドの巧に目をやる。無表情でボールを見つめている。

なんだこの程度か。そうつぶやいているような気がした。

ものすごく腹が立ってきた。三振《さんしん》して平気な沢口にも、三振させて得意げな表情ひとつ見せない巧にも、ものすごく腹が立つ。

「豪、いくぞ」

江藤が、バッターボックスに立っていた。

「江藤、次は外角高め。当てえよ、とにかく、当てえよ」

「わかっとる」

江藤がバットを構える。巧が足を上げた瞬間《しゅんかん》、バントの姿勢をとった。あっと思った。江藤は、バントとスライディングだけは、抜群《ばつぐん》にうまいのだ。球がはねかえる。しかし、それほど転がらない。豪は、マスクを放《ほう》り投げて、ボールをつかんだ。一塁《るい》に投げる。頭からつっこんだ江藤に沢口のグラブがタッチする。

アウト。豪はマスクを拾いあげ、膝のところでこすった。江藤がゆっくり立ちあがる。

胸から下が、泥で汚れていた。

「おしかったな」

豪は、近づいて江藤に声をかけた。

「もう少し、転がるかと思うた。見た目より、だいぶくいこんでくるんじゃな。けど、久しぶりにヘッドスライディングやったなあ」

親指のつけねの皮が少しむけている。そこをなめて、江藤はふふっと小さく笑った。

次の東谷は、五球ねばった。バットを短く持って、うまく当てていく。もともと、ボールをとらえるタイミングは、チームでいちばんうまかった。それでも、振りおくれてファウルになる。六球目に、豪は、外角の高めを要求した。

「東谷のいちばん好きなコースじゃぞ」

大声で、そうつけ加えた。わかったというふうに、巧が頷く。東谷が、バットを握り直し、よしっと気合をいれた。

「力むなよ。さからわずに当てていけ」

豪の声が聞こえなかったのか、返事がない。そして、外角高め、ストライクゾーンぎりぎりの球。

今まで受けたどの球より、速いような気がした。重い感触《かんしょく》が、ミットを通して伝わってくる。

あっ、確かに、ボールを受けた。一瞬、そんな思いが身体《からだ》をまっすぐにかける。自分のミットの中にいるのは、ゴム製のボールではなく、もっと別の生きている、体温のあるもの。指を出したら嚙《か》みついてくるような小さく猛々《たけだけ》しい生き物。そんな奴がいるんだ。豪は、ミットを軽くおさえた。

(やっぱり、あいつすげえんだ)

ため息がもれた。『ボールが生きている』――よく言われるその言葉の本当の意味が今、肉体で理解できた気がした。速いとか、コントロールがいいとか、そんな意味じゃないのだ。確かに、ここにボールがいると感じさせる力。百四十グラムにたらないゴムの球に、命みたいなものを感じさせる力。そんな力のこと。

頭の上で、大きく息をはき出す音がした。東谷がしゃがみこむ。

「あかん。コースまでわかってて、バットにかすりもせんかった」

「うん、今のボール、今までで最高だったけんな。しゃあないがな。けど、あんまし感心ばっかするな。これ以上、原田を調子にのらさんかてええからな」

「けど、豪もすげえな」

「おれが、なんで?」

「よう平気な顔して捕《と》れるな、あんな球。怖いことねえか」

「えっ、あっ、そうかな」

顔がほころぶ。そうだ、あの球を、生きて襲《おそ》いかかってくるような球を自分は、ちゃんと捕球したのだ。キャッチングの姿勢だってくずれていなかった。もし一塁《るい》ランナーがいて、そいつが二塁に走っていたら、絶対アウトにできた。ぐっと胸をはりたいほど、誇《ほこ》らしい気がした。

「おい、何そんなとこで、しゃべってんだよ。おままごとしてるんじゃないぞ」

「わかったよ。そう怒鳴るなって」

豪は、マウンドに行って巧に直接ボールを手わたした。

「おれ、おまえの子どもでのうてよかったよ。一年じゅう、怒鳴られてたら、たまらんわ」

「怒鳴られるようなことをする子が、悪いのです」

鼻にひっかかるような作り声が答えた。巧が、そんな戯《おど》けたまねをするなんて思ってもいなかったから、豪はふきだしてしまった。

「いやいや、原田って、意外に芸があるんじゃな」

「猿回《さるまわ》しの猿みたいに言うなよな。それより、次は永倉の番だろ。早くバッターボックスに立てよ」

猿回しの猿と聞いて、また、こみあげてきた笑いが、のどのあたりでとまって消えた。

「おれも打つんか？」

「あたりまえだろ。新田スターズで四番やってたのと違うのか」

「そりゃそうじゃけど、誰がキャッチャーやるんじゃ」

他《ほか》の誰にもできんだろ。そう言いたかった。

「あのおっちゃんに頼《たの》んだら」

「おっちゃん？　ああ、稲村さんか」

三塁フェンスの近くに、稲村が立っていた。側に、白いライトバンがとめてある。車体に青い文字で会社の名前が浮き出ていた。

「気づかんかったな。いつから？」

「東谷って奴が打つ前だよ。ひまなんじゃない？　頼んでみたら。おまえがバッターボックスに立ちたければだけど。ほら、ぐずぐずしてると帰っちゃうぞ」

稲村は、背中を向けて車のほうに歩きだしていた。

「稲村さん、稲村さん」

豪はキャッチャーマスクを振り回して、稲村を呼びとめた。

「稲村さん、原田の球、受けてみませんか」

「えっ？」

早口で、今までのことを説明する。

「いや、おれ仕事中なんじゃ。夕方までに岡山まで行ってこんとあかんのでな。きみらの姿を見て、つい、車、とめてしもうてな」

「ついのついでですよ。原田の球、すごいですよ。ほんのちょっとじゃから、お願いします」

拝むまねをする。稲村の丸顔が苦笑《くしよう》した。

「きみは、人をのせるんがうまいなあ。じゃ、ちょっとだけ」

稲村に、ミットやマスクをわたして、豪はマウンドにかけよった。

「OK。なんとか頼んだぞ」

「やりたくてうずうずしてたんじゃないの。そんな顔して見物してたぜ。けど、だいじょうぶだろうな。ちゃんと受けられるのかな。あのおっさん」

「受けなくてもええかもしれん」

稲村を見ていた巧の目が、豪の顔に向く。

「どういう意味だよ」

「つまり、前に飛ぶかもしれんてこと」

ばかか、何考えてんだよと、怒気《どき》を含《ふく》んだ答えがかえってくると思ったけれど、巧は何も言わなかった。

「永倉」

「なんじゃ」

「ハンディなしだぞ。ただし、最初は、ど真ん中に投げてやる」

豪は頷いて、バッターボックスに向かった。バットのグリップを握ったとき、突然《とつぜん》に心臓の動きが速くなった。バッターとして、巧に向かい合うなんて考えてもいなかった。自分に自信がないわけではない。地区大会で五割、ホームラン三本、県大会でも四割二分の打率とホームラン一本の成績を残している。けっこうすごいと自分でも満足していた。しかし、今までのピッチャーと巧は違うのだ。ぜんぜん、違うのだ。正直、打てる気はしなかった。

(けど、あいつ、ハンディなしって言うたよな)

嬉しかった。バッターとしての自分に、巧がハンディなしと明言したのが、嬉しかった。応えなければならないと思う。巧の球を打ち返してみせなければいけないと思う。いつもより、拳ひとつぶん、バットを短く持った。

マウンドで、何か巧と話していた稲村が豪の後ろに座る。

「最初は、真ん中だそうだ」

「わかってます」

「打てるかな」

「ごちゃごちゃ言《ゆ》わんといてください」

そう言ってから、あわてて頭を下げた。

「あっ、すんません」

「いや、ええよ。気を散らしてすまんかった」

そうだ、集中。球だけを見る。大きく息をはいて、バットを握り直した。

一球目。ホームベースの真上。ベルト線のあたりにボールはきた。ホームランコースだった。左足に力をこめてまっすぐにバットを振《ふ》る。手ごたえがあった。そのまま振りぬく。

高い金属音とともにボールは舞《ま》いあがり、フェンス横の雑木の中に消えた。

ファウル。

「へえ、よく飛ぶな」

稲村が、マスクの下で息をつく。

「けど、ちょっと、くいこまれたのう」

くいこまれた。ひと呼吸の半分、スイングがおそかった。けど、あれ以上速く、おれにバットが振れるだろうか。それに、次の球は、どこにくる？　そんなに暑くもないのに汗《あせ》が出る。背中のあたりが気持ち悪かった。

自分がキャッチャーなら、どんな球を要求する？　内角の低めだろうか。そして次の球を外角にはずす。それとも……いや、大きなファウルを打って、打ち気になっているバッターに対してなら、外角高めのボール球。胸の中で、ひとり頷いてバットを構える。

思ったとおり外角の高めにきた。しかし、スピードはない。えっ、と思わず声が出た。スピードボールだけしか考えていなかった。このまま打てば、つまる。豪は、なんとかバットをとめた。

「ストライク」

稲村の声。背中の汗が、すっと流れたのがわかった。

「ようとめたな。あのタイミングで打ちにいっとったらゴロだったぞ」

「まったくスピードの変化までつけるとは思わんかった。性格といっしょで、ややこしいことしよる」

独り言のつもりだったが聞こえたらしい。稲村が笑った。

「ははは、っ、けどええがな。ややこしいピッチャーのほうが、リードの楽しみがあるぞ」

リード。次の球。第三球目をどうリードする。試合でなら、一球、はずしてみてもいい。けど、今、巧ははずしてこないだろう。あのややこしい性格の自信家は、たぶん、三球で勝負をつけようとするに違いない。だとしたら、いちばん威力《いりょく》のある球。外角の低め。さっき、東谷に投げたのと同じスピードで、ストライクゾーンぎりぎりにくいこんでくる球。

豪は、バッターボックスに立って、両足をふみしめた。

三球目は外角低め。巧は、そう決めていた。たぶん、豪もそう読んでいるはずだ。裏をかく気はなかった。キャッチャーとしての豪はすごいと感じたけど、バッターとしてならそれほど怖くない。一球目のファウルで思った。

永倉、思ったとこに投げてやるぜ。打てるものなら打ってみろよな。

指の先に力をこめる。巧は、ゆっくりと投球動作に入った。両腕を頭の上に持っていく。左足を上げ、右腕を後ろに引く。そしてステップ。じぶんの身体《からだ》をバネのように感じる。そのバネを縮めて、放つ。

ピーッ、ピーッ。

後ろで、かん高い嫌な音がした。

えっ、なんだ？　そう思った瞬間、ボールが指から離れた。

巧が考えていたところより、球半個分浮き上がって、外角へ入っていく。豪のバットが、すくい上げた。

春らしい丸い雲が浮かんだ空に、ボールが上がっていく。

「外野、バックしろ」

巧は叫んだ。外野の三人が走りだす。青波は、わりに速かった。高く上がりすぎたボールが、急に力つきたように落ちてくる。

「青波、球を見ろ。グラブをもっと高く上げて。落ちてくるぞ。球から目を離すな」

のどがいたくなるほど、大声を出す。青波のグラブの中にボールが入った。青波がしりもちをつく。それでもグラブをかかえこんで、ボールを落とさなかった。

「とった。ぼく、とったで」

しりもちをついたまま、青波がグラブを振る。

「すごい。ファインプレーじゃ」

「ほんまじゃ、かっこええぞ」

良太や真晴の声が、マウンドまでとどいた。拍手《はくしゅ》までしている。巧は、グラブをたたきつけたいのをこらえていた。

これじゃまるで、ガキのお遊びじゃないか。なんで、外野まで、ちびのところまで球が飛ぶんだ。

バットにかすらせない自信はあったのだ。最後の一瞬《いっしゅん》、ほんの少しの抑《おさ》えがきかなかった。

巧は、一塁《るい》の江藤をにらんだ。江藤が、ポケットに何かをしまう。

「ポケベルか。なんでそんなもの持って、野球するんだ。いいかげんにしろよ、ばかやろう」

江藤の細い目が、にらみかえしてきた。

「ばかで悪かったな。なんじゃ、えらそうに、ポケベルの音が気になるなんて、たいしたピッチャーじゃねえな」

「なんだと、もういっぺん、言ってみろよ」

「何回でも言《ゆ》うちゃる。試合のときだったらどないするんじゃ。周りはもっとうるさかろうが。それをいちいち気にするんか。集中力がないてことじゃろ」

巧は、つばを飲みこんだ。江藤の言ったことは、間違ってなかった。試合中なら、ポケベルだろうが、悲鳴だろうが聞こえなかった。聞こえても、気にもならなかったはずだ。バッターに対して、集中力を欠いていた。それはたぶん、バッターを侮った瞬間、心にできた隙のせいだろう。そうだ、誰のせいでもない。自分の弱さが原因だ。唇を強く、かみしめる。

「どうなんじゃ、答えてみいや」

江藤が、一歩前に出る。

「おれの集中力なんかどうでもいいだろう。おれは、野球やってる最中に、ポケベル持って喜んでるようなばかじゃないんだ」

「なんじゃと」

「おい、ええかげんにしとけ」

豪が、間にわって入る。

「今日初めて会《お》うて、ケンカすることなかろうが」

「こいつがえらそうなこと言《ゆ》うけんじゃ」

江藤が横を向く。ポケベルの音がまた、ひびいた。

「江藤、あの、塾《じゅく》の時間じゃねえの？」

沢口が、ぼそっと言った。

塾だって？　塾の時間知らせるのにポケベル使うのかよ。

サラリーマンみたいなやつだなと、驚《おどろ》いた。

「帰る」

江藤が、豪の身体をおしのけるようにして、歩きだした。その背中に向かって、巧は声をかけた。

「おまえさ、野球するときぐらい塾のこと忘れろよ。まったく、中年のおっさんみたいだよな」

突然《とつぜん》、びっくりするぐらいの勢いで江藤は振りむき、巧につめよった。

「野球するときぐらい忘れろじゃと、ばかやろう。おまえらみたいに、中学行ってまで、へらへら野球するほど、おれはノーテンキじゃねえんだ。ちょっと速い球が投げられるけんて、ええ気になるな。そんなもん、通用するんは今だけじゃ。わかってるんか、おまえら野球ばっかりやってて、入試のときあわててもおそいんじゃぞ」

江藤がまくしたてる。巧はつばがとんでくるようで、顔をそらした。日がかげる。風が急に冷たくなった。

「六パーセントなんじゃからな」

江藤が、たたきつけるように言った。

「わかっとるんか、六パーセントだけが選ばれるんじゃ。ハイタレントなんじゃからな。後の九十四パーセントは、みんな落ちこぼれじゃ」

江藤は、また、突然に後ろを向くと走っていってしまった。巧は、豪の肩《かた》をおした。

「なんだあれ、わけのわかんないこと言って。ハイがどうしたんだよ」

「うん……いや、あのな、たぶん塾で言われたんじゃと思うけど、……おれも言われたから」

「だから、なんなんだよ」

「いやつまり、受験なんかを勝ちぬいて、お偉い人になるのは、いいとこ六パーセント、百人のうち六人ぐらいなんじゃと」

「ふうん、それでその六パーセントに入るためには、ポケベル持って、野球やらなきゃいけないわけだ。あのピーピーで塾の時間ですよって、ママが知らせてるのか」

　豪は、黙っている。かわりに、沢口が「そうじゃ」と答えた。

「おれのとこの母さんが、江藤のおばさんから、じかに聞いたて言《ゆ》うてたもの。外に遊びに出るときは、必ずポケベル持たせるんじゃと。たいしたもんじゃて、感心しとった。おれも持たされたらどないしょと、びくびくしたもんな」

「おまえと江藤じゃ、頭のできが違うじゃろうが」

　東谷が、グラブで沢口の頭をたたいた。空気が、柔《やわ》らぐ。ふぅと大きな息の音が後ろでした。

「いや、今日びの中学生は、野球やらせても勉強やらせてもすごいもんじゃな。あっ、まだ中学生じゃないか」

稲村が、マスクやプロテクターをさし出す。豪が、頭を下げた。

「すんませんでした。仕事中だったのに」

「うん、いや楽しかったよ。まあ、あんまし、のんびりもしとれんから行くわ。いくら六パーセントからすべりおちても仕事はせんとな」

稲村は、鼻の横をかいて、

「じつはな、おれ、今度、会社の中に野球のチームつくろうかなて思うとんだ」

と、言った。

「野球チームを？」

巧が聞きかえす。

「そんなおおげさなもんじゃないんじゃが、好きな者《もん》が集まって、ちゃんと練習したりできたらなと思うてな」

「そういうの、今までなかったんですか」

「なかった。なんもなかったんじゃ。おれも、肩と腰《こし》を痛めて、野球のことなんかあきらめとったんじゃけど、昨日な、巧くんにいいようにやられてショックでな」

「べつにショック受けなくていいんじゃないですか。打てなくても恥《はじ》じゃないから。当てただけ偉いですよ」

　豪が、脇腹をつつく。稲村の口が横に広がって、笑い顔になった。

「まったくな。けど、今度は打ってみたいんでな。ちゃんと練習して五キロ体重落として、身体《からだ》をしめて、原田巧の球を打ちかえしてみたいんじゃ。ほんま、久々に野球がしたいて思うたよ。そのうち、また相手になってもらうから、よろしくな」

　手を振って、稲村が歩きだす。

「稲村さん」

　巧は、稲村を呼びとめた。

「稲村さん、会社に野球チームつくるなんて、めんどうくさいこと言わなくても、おれなら、いつでも相手してあげますよ。永倉だって」

「いや、違うんじゃ」

　稲村は、ぶあつい手を横に振った。

「言いかた悪かったかな。巧くん、おれのやりたいのは野球なんじゃ。野球っていうのは、ひとりじゃできんからな。まっ、気長に待っててくれ」

　稲村が立ち去ると、風がますます冷たくなった感じがした。見あげると、日は西の山に近く、空は輝《かがや》くような明るさを失っていた。

巧は、マウンドの土を軽くけった。

「野球っていうのは、ひとりじゃできんから」

稲村の言葉が、耳の奥に残ってひびく。

勝負ならいつでもできる。稲村個人が五キロ痩せて、むかしのバットスイングを取りもどせば、巧はすぐにでも相手になるつもりだった。

しかし、そうではないと稲村は言った。

野球をやるために職場にチームをつくると言った。

そこまでやらないと野球ってできないんだろうか。稲村の、つまり父親の職場に興味を持ったことは、一度もない。どんな所なのか考えたことさえなかった。

しかし、会社という場所にスポーツのチームをつくるということは、そう容易《たやす》くできることじゃない。そのぐらいは、わかる。人集め、説得、交渉《こうしょう》……。

ごちゃごちゃとややこしい、めんどうくさいことがたくさんあるはずだ。

巧は、手の中のボールを握り直した。このボールを誰よりも速く投げること。向かってくる相手より強くなること。野球ってそういう単純なものじゃないのか。

豪が後ろで何か言った。振りむくと、豪の顔は西日をうけてうっすらと赤かった。

「なんだって。何か言った?」

「いや原田、おまえやっぱりすごいじゃないか」

「何が？」

「何がって、稲村さん、本気で野球チームつくる気じゃろ。大人をそんな気にさせるなんて、すごいがな。ほんまに野球チームができたらもっとすごい」

「どうかな」

「きっとできるぞ。稲村さんほんまに本気だったもの。なんてったって野球はチームがなけりゃあできん、ひとりじゃできんもんな」

稲村と同じことを、豪はさらりと口にした。

ふいをつかれた気がして、巧は豪の赤い顔を真正面から見つめていた。

「なんじゃ、原田、おれ、なんか気に障ること言《ゆ》うたか？」

「いや、べつに」

視線をそらし、口ごもる。

急に、腰のあたりが重く暖かくなった。青波が、だきついてきたのだ。

「兄ちゃん、ほら、ぼくボールとったで」

「なんだ、まだそんなこと言ってるのか。しつこいな」

「だって、本当じゃもん。なっ、このボールちょうだい」

「ええよ、持ってけよ。青波の記念ボール一号じゃ」

豪が、かがみこんで青波の頭をなでた。

こいつ、本当に優《やき》しいんだ。

豪の角ばった横顔を見る。見ながら、腰に回った青波の手を、そっとほどいた。

6　ランニング

夕方、家に帰ってから、青波は咳《せき》をし始めた。目が赤い。

「ほら、お兄ちゃんについて行ったりするから。身体《からだ》だるいの？　だいじょうぶ？」

真紀子が、薬箱から何種類かの薬を出してならべる。てなれたものだ。粉薬でも水薬でも錠剤《じょうざい》でも、青波は平気だった。小さいころから、何時間もかかる点滴《てんてき》さえ、ぐずらずに受けていた。巧は、青波の飲む咳止めカプセルの毒々しい程《ほど》赤い色が、嫌《きら》いだった。

「ランニング、行ってくるよ」

誰に言うともなくつぶやいて、家を出る。いつもより疲《つか》れているような気がした。けれど、気分は悪くない。久しぶりに踏《ふ》みしめたマウンドの感触《かんしょく》が身体のどこかにはっきり残って、心地《ここち》よかった。

「明日もやれるか」。別れ際《ぎわ》に豪が尋ねた。「もちろん」と答えた。退屈《たいくつ》しない春休みがおくれそうだった。

「兄ちゃん」

背後で足音がする。振りかえり弟の姿を確認《かくにん》し巧は、眉《まゆ》をひそめた。

「青波、どうしたんだ？」

青波は走りより、兄の横に並ぶ。目のふちが、ますます赤くなっていた。

「兄ちゃん、ぼくも行く」

「行くって、おれは神社までランニングしてくるんだぞ」

「うん、じゃから、ぼくもランニングしたい」

「ばか」

巧は、青波の前に立ちふさがるように足をとめた。

「何ふざけたこと言ってんだよ。帰れ」

「いやじゃ」

青波が頭を振る。

「あのな、青波。これはランニングなんだ。遊びじゃないわけ。わかるだろう」

「じゃから、ぼくもする。そいで、マサくんたちと同じ野球のチームに入るんじゃ」

「チームって、おまえ本気で野球する気なのか」

青波は、大きく頷いて笑った。

「うん、ぼくやりたい。兄ちゃんみたいにボール投げてみたいんじゃ。なっ？」

「青波」

巧は、弟の名前をできるだけゆっくり呼んでみた。青波の小さな白い顔が上を向く。

「おまえには無理だよ。野球が上手になる前に、身体がまいっちゃうに決まってるだろ。それに母さんが」

「ママなんか、関係ないもん」

青波が、唇をとがらせて顎をつき出す。

「兄ちゃんだって、四年生から始めたんじゃろ。ぼくだって、がんばったら、やれるもん」

「おまえな、おれとおまえをいっしょにするなよな。おれにできたからって、おまえにできるわけじゃないんだ。帰れよ。帰って、本でも読んで大人しくしてろ」

「やだ。野球やりたい」

青波は、前より激しく頭を横に振った。

「じゃ、かってにしろよ。もう知らないからな」

巧は、青波を残して走りだした。ピッチをあげる。

おれは、豪みたいに優しくはないぜ、青波。

甘えるなよと思う。ランニングがしたいなら、自分ひとりで走ればいいのだ。ひとりで走って、自分のペースをつかんで徐々《じょじょ》にのばしていく。

おれが、おまえといっしょにチンタラ走るとでも思ったのかよ。

後ろで物音がしたような気がした。振りむく。ずっと後ろの道のへりに、青波はしゃがんでいた。すぐ傍《そば》を車が、かなりのスピードで行き過ぎる。

巧は青波のところまでもどった。丸くなった青波の背中が大きく震えていた。

「苦しいのか？」

青波は黙っている。泣いているのがわかった。

「青波、なっ、家に帰れ。野球がやりたければやればいいさ。だけど、苦しくないぐらいにしとかないとだめだろ。おまえはな、おれみたいには、なれないんだ。がんばったって無理なんだよ」

丸い背中がびくっと動く。

「無理なの？」

「無理だよ」

青波の目から、涙《なみだ》が落ちた。ぽこっと、ありもしない音を聴《き》いたかと思う程大きく、目のふちに盛りあがり、こぼれていく。

「青波」

真紀子の声がした。

「ほら、母さんだ。おまえ、黙って出てきたんだろ。心配して捜しに来ちゃったじゃないか。早く帰れ」

青波が、巧をにらんだ。一瞬《いっしゅん》、巧が瞬きした程、きつい目の光をしていた。

「無理じゃない」

短く兄の言葉を否定して立ちあがり、真紀子のほうへ走りだす。真紀子が、何か言って手をさし出した。その横を走りぬけて、青波の後ろ姿はまがり角に消えた。真紀子がエプロン姿のまま立っている。巧は目をそらせた。ひと息、飲みこんで走りだす。自分の言ったことが、間違っていたとは思わなかった。青波は野球なんかできるわけないのだ。できるわけが……。

(青波はええと思うがな)

洋三の言葉が頭の中で弾けた。

(ああいう目をした子は、うまくなるんじゃがな)

心臓が苦しくなる。足がもつれるようで、いつものペースがつかめなかった。

(青波はええと思うがな。ああいう目をした子はうまくなるんじゃがな)

洋三は、確かにそう言った。

そうなのだろうか、本当にそうなのだろうか。あの青波が、身体《からだ》が弱くて、しょっちゅう病気して、母に守られて、なんとか生きているみたいな青波が、自分のようにボールを投げ、走って、野球をやれるのだろうか。

巧は、額の汗《あせ》をふいた。やれるような気がした。おろち峠《とうげ》を越《こ》えて、新田の街に来てから青波は強くなったような気がする。洋三のせいか、豪のせいか、それともこの街のせいなのかわからない。グラブを持って、ボールをとって、大きな声で笑って、きつい目でにらんできて……今まで巧が知らなかった青波ばかりだった。

ふざけんなよ。

下唇をかみしめる。

いつも、母さんに甘えて、守ってもらって、布団《ふとん》の中で眠《ねむ》ってたような奴に、おれと同じ野球をやられてたまるもんか。

強く、強く、唇《くちびる》をかむ。痛みに呼応するように心臓がどくりと一つ、脈を打つ。足がもつれた。ガードレールにもたれかかり、息を吐《は》き出す。苦しくて、もう一歩も走れなかった。吐き気がした。汗が気味悪いほど大量にふきだしている。

両手でガードレールをつかみ、身体を支える。じっとしていると、少しずつ汗がひいていくのがわかった。

肩《かた》が冷えちゃうかな。

ぼんやりと考える。まだ、動きたくなかった。視野の隅を黒い影《かげ》がよぎる。ツバメ。みごとな反転。つられて顔を上げると、空が見えた。雲が赤と紫《むらさき》の混じりあった不思議な色に染めあげられていた。丸くて大きな花が咲《さ》いているようだ。紫陽花《アジサイ》。あんな色のアジサイを見たことがある。どこでだろう。

「巧くん」

目の前に白い乗用車がとまった。窓があいて、節子の顔がのぞく。

「どうしたの、ぼんやりして。乗ってく？　家まで送っていってあげるよ」

「え……ああ、いや、いいです」

「けど顔色悪いよ。だいじょうぶなの？　ねっ、乗りなさいよ」

節子は、本当に心配そうに、巧の顔をのぞきこんでくる。

永倉の性格、このおっかさんに似てるんだな。

なんとなく、節子のさそいを断るのがめんどうくさくなった。

「あ、じゃあ、神社のとこまで送ってください」

「神社？　いいけど、家と反対方向よ」

巧が助手席に乗りこむと、節子は神社の方向にハンドルを回した。

「何しに行くん？　こんな時間に」

「ちょっと、ランニングを」

「ランニングって、走るの？　家まで」

「はあ。ふつう、ランニングって言ったら走りますね」

「あらっ、そりゃそうじゃわな」

節子がふきだす。笑いかたまで、豪によく似ている。

「豪がね、原田はすごい、すごいって興奮してたんよ。わたしなんか、野球のことぜんぜん、わからんけどね。あの子が、あんなに興奮してたの初めてよ」

巧は黙っていた。豪が、母親とどんな話をするのか想像もつかなかった。節子も急に黙りこむ。ゆったりした助手席のいすは、何故か居心地《いごこち》が悪かった。

車は、神社に続く細い道のところでとまった。

「どうも」

頭を軽く下げて、おりる。ほっとした。

「巧くん」

節子も車からおりてくる。ブラウスの細いリボンが、風に揺れていた。

「お願いがあるんだけど」

嫌な声だと思った。胸のあたりが重くなる。

「あのね、野球、やめるように言《ゆ》うてもらえんかしら」

「永倉にですか？」

わかりきったことを尋ねてみた。節子が頷いた。こくりと顎《あご》をひく生真面目《きまじめ》な子どもに似た動作だった。

「あのね、もともと野球は、中学に入るまでって決めとったの。塾《じゅく》が週に三回になるし、そのほかにもいろいろとね……豪も、わかってたと思ってたんじゃけど、ずっと野球続けるなんて言いだして、それに塾もやめるって言うの。こまっちゃってね。それで、巧くんから説得してもらえないかなって」

「おばさんが言えば。おれなんか、関係ないし」

「関係あるわよ」

節子の声が大きくなる。あっ、というふうに口をおさえて、節子は顔を赤らめた。

「ごめんね。だけど、豪がずっと野球やりたいと思うようになったのは、巧くんのせいなのよ。原田とバッテリー組めるって、すごい喜んじゃって。豪に言わせれば、すごいチャンスなんだって、原田がいるのにいっしょに野球をしないなんておかしいって……ほんと、こまっちゃってるの」

こまっちゃってるのは、こっちだよ。

巧は、足元の小石をふみつけた。

永倉、なんで、おれがこんなとこにつっ立ったまま、おまえのおふくろの愚痴《ぐち》、聞かなきゃいけないんだよ。

「あのね、ずいぶんひどい教育ママだと思っとるでしょ」

「そうですね」

「けど、あの子、ひとりっ子なんよ」

巧は頭が痛くなった。いいかげんにしてくれと叫《さけ》びたかった。本当にそう叫びそうになったとき、節子の目が見えた。形は豪とそっくりなのに、豪のようにまっすぐに向かってこない。節子の視線は、巧をさけるように、横にそれた。

「こんなこと巧くんに言《ゆ》うのもおかしいんじゃけどね、やっぱりね、その、病院をついでほしいとかね、親としていろいろ考えるわけなのよ。そうしたらね、うん、やっぱり、勉強をね、そろそろ必死にやっていかんといけん時期になってるわけでね。ほんと言《ゆ》うと、おそすぎるぐらいなんよ。同じチームにいた江藤くんて子なんか」

「ポケベルか」

「え?」

「いや、なんでもないけど、おれ、これから家までランニングしなくちゃいけないから」

節子に背を向けて、走りだそうとする。

「巧くん、お願いだから、豪に言《ゆ》うてよ。野球の才能ないからやめろって。巧くんに言《ゆ》われたらあの子、納得《なっとく》すると思う」

巧は足をとめ、振りかえった。

「あいつ、才能ありますよ。永倉となら、バッテリー組めるから」

たぶん、最高のバッテリーになる。なんの前ぶれもなく、そんな想《おも》いが胸を揺さぶった。身体の中で何かが弾けたほどの強い感情だった。大きく息をすって、両足をふみしめる。

「そんなこと言《ゆ》わないで、こまるのよ。あんまり勉強、勉強って言《ゆ》うのかわいそうだから、今まで野球させてやってたの。これからは、そうもいかないし、ねっ、巧くん」

節子の手がのびてきて、巧の手をとった。振りはらう。

「おばさん、野球って、させてもらうもんじゃなくて、するもんですよ」

節子の口があく。もう何も聞きたくなかった。走りだす。いつもよりずっと速いピッチだった。

節子に腹は立たなかった。ポケベルを持たせないだけ、ましかなとさえ思った。ただ、重苦しかった。目に見えない何かが、びっしりくっついたように心が重かった。

野球させてやってたの……か。

冗談《じょうだん》ではない、本気で節子は言ったのだ。

永倉、おまえ、野球させてもらってたのかよ。違うだろう。そんなこと、思ってもいなかっただろう。けど、おまえのおふくろさんは、させてやってたと言ったぜ。おまえの野球は、その程度だとよ。

ピッチが、どんどん速くなる。こんな走りかたしちゃだめだ。わかっているのにコントロールできない。できないというより、する気がおきなかった。このまま、つっぱしって玄関《げんかん》に転がりこみたかった。

あいつ、おふくろに負けちゃうかな。

耳の奥底に乱れる鼓動《こどう》を聞きながら走る。走りながら、豪のことを考えた。

おふくろに負けて、野球やめちゃうかな。

やめないだろうな。確信だった。

そうだな、それほどやわな野球じゃなかったな。

速いピッチのまま、家まで走り続けた。身体《からだ》じゅうが汗《あせ》にまみれていた。玄関の中で座りこみ、巧はしばらく動けなかった。

「巧、帰ってきたの。まあ、どうしたの」

真紀子が玄関に出てくる。

「ちょっと……とばしすぎて……」

巧は立ちあがった。苦しくてしゃがみこんでいるようなぶざまなかっこうを、誰《だれ》にも見られたくなかった。

「巧、お願いがあるの」

母に言われて、顔を上げる。同じセリフをさっきも聞いた。ただ、真紀子は視線をそらさなかった。巧を見つめたまま、二階を指さした。

「青波？」

「そうなの。さっき、巧の後をおっかけて行ったでしょ。それから、急に部屋にとじこもっちゃって、泣いてるみたいなの。見てきてくれない？」

「なんで、おれが？　母さん、行けばいいだろう」

お願い。お願い。もう、いいかげんにしてほしい。

「だって、中からカギかけちゃって、あけてくれないの。熱があったみたいだし、心配なんだけど、巧、何があったの」

「知らないよ。おれ、いじめたりしてないから」

「そんなことわかってるわよ。だけど、青波が、わたしを部屋に入れないなんて初めてなのよ。広さんも、まだ帰ってこないし」

「じいちゃんに頼《たの》めば」

「お父さんに？　だめよ、あの人は。ほっとけなんて、怒鳴るのがオチよ。けど、心配なの。様子見てきて、ねっ、巧」

きりっとした、きつすぎるぐらい線の強い真紀子の顔が、くずれた。巧は目をふせた。こんな、おろおろした母の顔を見るのは嫌だった。青波のこととなると、真紀子は何故かいつもの強さを見失う。巧の中でいらだちがつのる。抑《おさ》えるように足に力を入れて、階段を上がる。青波の部屋のドアをたたく。

「青波、起きてるんだろ。あけろよ」

答えはない。けれど、動く気配はした。

「青波、早くあけろ」

ノブを回す。ドアはあかなかった。

「いいかげんにしろ。けやぶるぞ」

返事を待たずにドアをける。大きな音がした。

「巧。乱暴しないで」

階段の下で真紀子が叫ぶ。カチッと小さな音がして、ドアがあいた。身体でおしのけるようにして中に入る。

「寝てたのか」

ベッドの掛《か》け布団《ぶとん》がめくれていた。

「ちゃんと、カギかけといてよ」

そう言って、青波は、またベッドにもぐりこんだ。巧も腰かける。無理したランニングの疲《つか》れが足にきたようで、だるかった。走った後のストレッチもしていない。足をのばして、身体を前にかがめる。青波が鼻をすすりあげた。

「泣いてたのか？」

「泣いてないよ」

「嘘つけ。さっきの続きで泣いてたんだろ」

「嘘じゃな……」

青波は、ふいに咳《せ》きこんだ。背中がくの字にまがる。見ているだけで、息がつまりそうだった。

「母さん、呼んできてやるから」

青波の頭がまくらの上で、動いた。嫌だというふうに、横に動いた。

「だって、薬があるんだろう。母さんじゃないとわかんないじゃないかよ」

巧は立ちあがる。早く青波の傍《そば》を離れたかった。

「いいよ。そんなにひどくないんじゃ。兄ちゃん、とまれ」

振りむくと、青波はベッドの上に座って、荒《あら》い息をしていた。

「すぐに、母さん、母さんて言《ゆ》うんじゃからな」

頭の後ろを軽くなぐられた気がした。息を飲みこんで、ベッドの傍に立つ。

「ぶんなぐるぞ。ママ、ママって甘えてるのはおまえだろうが」

しばらくして、青波は、うんと言った。

「そうじゃな」

そしてぺろっと舌を出す。

「兄ちゃんがいっつも、『おまえはすぐママ、ママって言う』て言《ゆ》うじゃろ。ちょっとまねしてみた」

「おまえな、おれをからかってるわけ」

「からかってないよ」

青波は、手をのばして窓をあけた。風の音と夜の空気が流れこんでくる。青波がまた咳きこんだ。

「やめとけよ、寒いだろうが。わざわざ窓なんかあけて……」

「ここはええなあ。なんぼせきをしてもええもんな」

巧は、乱暴に窓をしめた。

「何言ってんだよ。咳ぐらいどこでもできるだろう」

「ちがうよ。岡山のときは、夜、大きなせきしてたら、隣のおばちゃんが怒《おこ》って来とったもの。音が響いてうるさかったんじゃて」

「隣って、誰だっけ」

「森口《もりぐち》のおばちゃん。せきが出るときって、次の日、しんどうて学校休むじゃろ。そしたら、たいてい十時ごろ来てな、ママに『昨夜《ゆうべ》、うるさくて眠《ねむ》れませんでした』って言《ゆ》うんじゃ。ママ、あやまっとるし、ぼく、せきをしたらいけんと思うんじゃけど、よけいどんどん出ちゃうし、夜になるのがいやじゃった」

「ばかだな、出るものはしかたないだろ。文句言うおばはんが悪いんだ。ほっときゃよかったのに」

青波が微笑《ほほえ》んだ。熱があるのか乾いてて、かさかさに見える笑顔《えがお》だった。

「ママがな、あやまるの見てるの、すごくいやじゃった。けど、ここは、誰もうるさいて言《ゆ》わんもんな」

咳ぐらいと思う。咳ぐらい、びくびくしないですればいいのにと思う。けれど、嬉しそうに目を細めた青波を見ていると、言葉がつまった。

「兄ちゃん、ぼくといっしょの部屋におって、せき、うるそうなかった?」

「ぜんぜん。おれなんか、ベッドに入ったらすぐ寝ちゃうもんな。森口のおばはんなんかといっしょにするなよ」

してないよと青波が答えたとき、ドアにノックの音がした。

「ほら、母さんががまんできなくて、来たぞ。入れてやれよ」

青波が、あわてて顔をなでる。

「泣いてたみたいに見える?」

「なんだ、泣いてたって思われるのが嫌なのか」

「ママ、うるさいんじゃ。すごく心配するし」

おーいと、ドアの外で声がした。広の声だ。

時計を見る。七時五分。ドアをあけると、父が立っていた。

「父さん、どうしたんだよ」

「おいおい、そんな言いぐさはないだろう。今、帰ったんだよ。帰ってみたら、母さんが、青波が部屋にとじこもって、様子を見に行った巧まで出てこなくなったなんて、言うもんだから」

「今度は、父さんにお役目が回ってきたわけだ」

「そういうこと」

「ママ、心配してた？」

青波に尋ねられて、広は片目をつぶってみせた。ドアを軽くあける。洋三の怒鳴り声と真紀子のいつもより高い声が、いっしょに聞こえてきた。

「今、親子ゲンカ中。おまえたちのことが気になって、じいちゃんの好きなタケノコの煮《に》付《つ》けを、うっかり焦《こ》がしたんだとさ」

「……ばっかもの……だいたい」「しょうがない……青波のこと……」「ほっとけば……おまえは、むかしから……」「よく言うわね。お父さんこそ……かってにして……」

きれぎれに、二人の声がとどいてくる。

「かなり、はでにやってるな」

真紀子が大声で口ゲンカをするなんて、めずらしい。なんだかおかしくて、巧は笑ってしまった。

「ぼくのせいなんかな」

青波は笑っていなかった。

「いやいや、あのふたりは、むかしからああなんだよ。けど、まっ、むかしみたいに口をきかないなんてことには、ならないんじゃないか。久しぶりに親子でケンカできるの、楽しんでるみたいなとこあるからな。まあ、似たものどうしだからな」

「頑固《がんこ》なんだ」

「一途《いちず》なんだよ、巧」

広が真顔で言う。青波がベッドからおりて、広の横に座った。

「一途って何、パパ？」

「そうだな、うーん、とことんやるというか、ひたむきというか」

「ひたむきって？」

「だから、うーん、むつかしいな。うん、お兄ちゃんみたいな性格かな。巧は母さんに似てるから」

「あっ、なら、わかる」

「ばか、何ばかなこと言ってんだよ」

立ちあがる。自分のことをわかったように言われたくなかった。部屋に帰って、ひとりになりたかった。

「巧」

呼びとめられる。

「稲村くんが、『巧くんのおかげで、久しぶりに野球の血がさわいだ。ほんとにすごい子だ』って感心してたぞ」

「だろうね」

「会社に野球の同好会つくるから、入るように言われたよ。ハハ、おまえの父親だから野球がうまいと思ったらしい」

巧は、父親の顔を見つめてしまった。

「父さんが、まさか」

「おい、そんなにばかにするなよ。けど、断ったけどな。どうにも無理だよ。そのかわり、ポスター描《か》くって約束した。おれも久しぶりに絵筆持つかな」

「うん、そっちのほうがいいよ」

まだ何か言いたそうな広をさえぎるように、巧は部屋から出て、ドアをしめた。階下は静かになっていた。醬油《しょうゆ》の焦げた強い匂《にお》いがした。疲れたなと感じた。早く眠《ねむ》りたかった。

夕食にタケノコの煮付けは出なかった。刺《さ》し身や卵焼きをつまみながら、洋三と広は酒を飲み、青波は薬を飲んで眠りこんでいた。真紀子は、いつもよりずっと口数が少なく、二階ばかりを気にしていた。夕食のすぐ後、誰かから電話がかかって、長い時間しゃべっていた。

永倉のおふくろかもしれないな。

誰でもいいような気がした。今日一日、ごちゃごちゃと長い一日だった。巧は、ベッドにもぐりこむと目をとじた。すぐ、何もかもわからなくなった。

7 夜明けのキャッチボール

風の音が聞こえた。窓ガラスがなったのだ。目をあける。部屋の中は明るかった。机の上のボールから隅《すみ》に放《ほう》り投げてある数冊《すうさつ》の本まで、はっきりと見える。ああと気がついた。ゆうべ灯《あかり》を消し忘れていたのだ。天井《てんじょう》の蛍光灯《けいこうとう》がついたままだ。光が、覚めたばかりの目にしみた。窓ガラスが、またなった。風ではない。小石がぶつかっている。巧は窓の側によった。外は、まだ薄暗《うすぐら》い。

「永倉」

一晩じゅうついている門灯のあかりの中で、豪が手を振っていた。

「おりてこられるか」

「おりていって、どうするんだよ」

「キャッチボールしようぜ」

息をすいこむ。きりっと冷たい空気が肺にしみた。それで、完全に目が覚めた。

トレーナーの上にウインドブレーカーを着こむ。グラブとボールを脇にかかえて、注意深く階段をおりる。広も真紀子も奥の部屋に寝《ね》ている。たぶん、聞こえないだろうと思っても、古い階段のきしみは気になった。

外に出る。梅の木にもたれて、豪は待っていた。

「なるほどな」

巧はつぶやく。

「なんじゃて？」

「いや大きな家ってのは、簡単にぬけだせるんだな。社宅のマンションじゃ、こうはいかないもんな」

「夜遊びは非行の始まり。非行の原因は大きなお家《うち》か」

「ばあか、夜中にキャッチボールなんて、夜遊びって言うのも恥《は》ずかしいぜ」

豪は、手の中でボールを回した。

「ちょっと、早く目が覚めたんじゃ。寝られないからな、ランニングでもしよか思うてここまで来たら、おまえの部屋、灯がついてたからな」

「ミット持ってランニングするのかよ」

豪は肩《かた》をすくめた。

「まあな。原田こそ、こんな時間に何やってんだ」

「決まってるじゃん。お勉強だよ」

「嘘つけ」

「嘘なもんか。おれは、いつもこの時間、勉強するんだ」

「嘘だろ」

「嘘だよ」

「まったく、原田まで勉強なんてこと言わないでくれえな。頭が痛《いと》うなる」

昨日の節子の顔を思い出す。真剣《しんけん》な目。心底こまったようにゆがんだ眉《まゆ》。風に揺れていたブラウスのリボン。

永倉、おふくろさんにかなり、しぼられたのか。尋《たず》ねようとして、やめた。豪と節子の間で何があっても、関係ないのだ。豪が、解決する問題。巧には手の出しようがなかった。けれど、キャッチボールならできる。今、真夜中に豪がボールを投げて受けたいのなら、相手ができる。

「どこでやる？」

「その道んとこでええじゃろ。街灯がついとるし、土じゃから足に無理がかからん」

見あげると、点々と星の散る空があった。それなのに、遠くでもう、鳥の声がする。キャッチボールなんて、数え切れないほどやってきたけれど、こんな時間に街灯の下でやるのは、初めてだった。

　軽いキャッチボールで肩を温める。灯の中でボールはいつもより、ずっと白く見えた。白いボールが巧と豪の間をゆっくり行き来する。身体《からだ》もゆっくりと温まってきた。ウインドブレーカーをぬぐ。

「そろそろ、本気でやるか」

　豪が尋ねる。

「全力は無理だぞ。この灯じゃおまえ、とれないだろう」

　巧は、思ったことをそのまま口にした。

「わかった。八割の力でええぞ」

「七割だな」

「ご配慮《はいりよ》、まことにありがとうございます」

　豪は、巧に向かっておじぎをした。それから、少し離れてミットを構える。巧は、豪のミットから目を離さない。その一点を見つめて、ボールを投げる。ときおり聞こえる小鳥の声と、自動車の音。静かな夜の中に、ミットにボールが飛びこむ音だけが、はっきりと響《ひび》いた。

　どのくらい投げただろうか、近くでふいに鶏《にわとり》が鳴いた。つられたように犬のほえ声が始まる。

「お、夜明けの合図じゃ。ラスト一球」

急に豪は立ちあがり、ミットをたたいた。

「ただし、全力。百パーセント」

「受けそこなって、怪我してもしらないぞ」

豪は答えるかわりに、座ってキャッチングの姿勢をとった。

わかったよ。投げてやるよ。永倉。

自分をすごいと感じるときがある。どんなときでも、どんな状況《じょうきょう》でも、自分の力をコントロールできること。ボールにたくす力を自分自身で支配できること。さっきまでは、確かに七割から八割の力で投げていた。豪が全力と望むなら十割、百パーセントで投げることはできる。その自信はあった。炎天下《えんてんか》のマウンドだろうが夜明け前の道だろうが、投げようと思うそのままにボールを投げられるのだ。そういうとき、自分自身をすごいと感じる。うぬぼれだとは思わなかった。

そして、百パーセントの力をこめて、巧はボールを放した。豪はミットに手をそえて、受けとった。受けとってすぐ、大きな息をつく。

「さすが、昼間受けた最高の球とおんなじじゃった」

「百パーセントだろ。手ぬきしなかったぜ」

「こういう球、試合のとき、どのくらい投げられる?」

「いくらでも」

「簡単に言《ゆ》うのう」

「投げる必要があれば、いくらでも投げられるさ。力をぬいた球でアウトをとっていくか、速い球で勝負していくか。そこらへんは、おまえのリードの問題だろ」

「『おれには関係ない』て言《ゆ》うんか」

「まさか、そこまでは言わない」

豪が声を出して笑う。にこにこしながらリード、リードとつぶやいた。

クラクションがなる。白い乗用車が近づいてきた。豪の笑顔《えがお》がゆがんだ。

「いけん。母さんじゃ」

「豪」

車から、節子が転がるようにおりてくる。パジャマの上に緑のカーディガンをひっかけている。

「あんた、なんでこんなとこに。部屋で寝《ね》とらんもんじゃからびっくりして、家出したかと思うて捜しまわって」

豪は、巧の身体をおすようにしてささやいた。

「サンキュー、もうええぞ。また明日、いや今日な」

巧はウインドブレーカーとグラブを持って、豪と節子に背を向けた。ふたりの言いあう声。節子のほうは泣き声だった。エンジンの音。門のところで振りむくと、自動車のテールランプが見えた。明けようとする夜の中に、赤い人工の灯《あかり》が二つ、くっきりと浮かびあがる。

見送るつもりはなかったけれど、まがり角に消えるまで、なんとなく立っていた。あの車の中で、豪は母親とどんな会話をするのだろう。

「まっ、いいさ、関係ないもんな」

「何が関係ないんじゃ」

びっくりした。

「じいちゃん」

洋三がいた。ちゃんと服を着ている。

「なんでこんな時間に……」

「年をとると、早《はよ》うに目が覚めることもあるんじゃ」

「ずっと、見てたわけ」

「いや、さっきからじゃ。明け方のキャッチボールとは、しゃれとるのう。けど、身体に疲《つか》れが残るぞ。もう一眠《ひとねむ》りしとけ」

「わかってるよ」

歩きだそうとして、あっ、と叫《さけ》びそうになった。思い出した。この門の後ろ。梅の木の下。あの空の色と同じ赤と紫《むらさき》の混じった色。大きなアジサイの花の群れがあったのだ。

「じいちゃん、ここアジサイあったよね。紫みたいな赤みたいな色のきれいなやつ」

「おう、よう覚えとったな。ばあさんがアジサイが好きでのう、ようけ庭に植えとった。ここにあったのは、特にみごとなやつじゃったがな」

「枯《か》れたの？」

「枯れた。ほかのアジサイは、なんともなかったけどな、ここにあったやつだけは、ばあさんが死んだ次の年に枯れてしもうた。ばあさんの後を追っかけたんかもしれんな。そういえば、おまえもこの花が好きで、アジサイの葉っぱの下でむすびを食うたり、かたつむり探したりして、よう遊んどったのう」

洋三が、今は何もない梅の根元を見つめる。夕暮れの束《つか》の間、空を染める色に似た花群《はなむ》れのかわりに、徐々《じょじょ》に透《す》けていく春の闇《やみ》が溜《たま》っている。

「枯れたんじゃなくて、枯らしたんだろ。じいちゃん、あの世に行ったら、ばあちゃんにおこられるぜ」

巧は、わざとちゃかしてみせた。むかし話をする祖父は、あまり好きではない。ひどく年とって見えるのだ。

「さ、寝よう」

大きなあくびをしてみせる。眠気がこみあげてきた。

「巧」

名前を呼ばれて、洋三の顔を振りかえる。むかし話はもういいよと、のどまで言葉が出かかった。

「いい球だったな」

「え？　ああ、さっきの球」

「おまえは、すごいのう。どんなときでも、どんな場所でも自分の思い通りの球が投げられる。わしも、ようけのピッチャーを見てきたけど、おまえほど自分の球をコントロールできた奴は、おらんかったのう。うん、努力だけでできることじゃない。ええ才能をさずかったもんじゃ」

どんな顔をしていいかわからない。ただ、嬉しかった。褒められたからではない。洋三が、巧自身の力をちゃんと理解してくれたからだ。

「ただ、いつまでも思い通りの野球ができるとはかぎらんぞ」

洋三は、ぼそりとつけくわえた。耳の奥でポケベルの音がした。どきりとする。いやな音。あれは違う。あれは……。

「じいちゃん、もしかして、昨日のこと見てた？」

「昨日？　いや、わしは広島での試合のことを言《ゆ》うとんじゃ。負けたじゃろう？」

「あれか」

土ぼこりのグラウンド。わずかに、しずみこんだ球。三振《さんしん》。しりもち。巧は、むりやり胸をはった。

「あれは、試合に負けただけだ。味方のエラーで点を入れられたんだし、最後の三振だって油断しただけだよ。ピッチャーとしてのおれが負けたわけじゃない」

空が明るくなり始めた。梅の枝に小鳥が来て、ピルピルッ、チチチッ、とややこしい鳴きかたをしている。震わせた羽根に光があたり、輝《かがや》く。

「巧、試合に負けたちゅうことは、おまえも負けたてことじゃ。野球ちゅうのはそういうもんじゃ。一人ひとりは力があるのに、なぜかチームとして試合に勝てれんことがある。ほんまに勝てれんのじゃ。そういうときは、やっぱり一人ひとりが負けとる」

「わかってるよ。チームワークとか、そういうことだろ」

洋三は、こまったというふうに、頭を横に動かした。

「うぅん、チームワークか。一言でそう言うてしまえるもんとは違《ちが》うがのう。わしも、ようわからんのじゃ。ただ、選手一人ひとりが思いどおりの野球ができたときは、ほんまにおもしろい試合をするのう。巧、おまえはおもしろい試合をしたことがあるか」

「勝ったときは、いつでもおもしろいさ」

「そうか。おもしろければええ。野球を楽しめだしたら、それがほんまに思いどおりの野球をしたちゅうことかもしれんな」

巧は梅の木を見ていた。ややこしい鳴きかたの鳥は、美しい黄色の腹をしていた。洋三の頭の上の枝で、歌うみたいに鳴いている。

「じいちゃんの言ってること、よくわかんないよ。なんかごちゃごちゃして。おれのこと褒めてたんじゃないの」

「そうか、わしも何十年も野球やってきて、わからんことだらけでのう。言葉にしようとするとごちゃごちゃになる。しゃべらんかったらええんじゃが、おまえを見とったら、つい、言いとうなってしもうてな。すまんかったな。うん、ちゃんとしゃべるっちゅうのは難しい」

洋三が白髪頭《しらがあたま》をかく。少年のような動作だ。祖父が何を自分に伝えたかったのか、よくわからなかった。ただ、伝えようとしてくれたことは、わかった。

「おれ、先が長いから。じいちゃんの言ったこと、考える時間があったら考えてみるよ」

「わしだって、先は長いわい。そうじゃ、手記でも書くかな。『わが野球人生』とかいう題でどうじゃ」

「ださい」

「なんで、そうはっきり言い切るんじゃ。まったく母親そっくりじゃな」

笑おうとして顔を上げると、小鳥が飛びたった。空は、青い光に柔らかく染まっていた。

昨日見た夕焼けよりずっと美しかった。

8　青波《せいは》のボール

四月に入っても、真紀子はあわただしく動き回っていた。

「転入の用意って、ほんとたいへんよ。巧、これが中学の制服」

「ださい制服。やだな」

「この制服に誇《ほこ》りを持って通学してくださいだって。なんか、わたしのいたときより、ずっとがちがちって感じね。あんた、だいじょうぶ？」

「何が？」

「いや、けっこう厳しそうだったから、巧みたいな性格でやっていけるかなって、心配してるのよ」

巧は、読んでいた本から顔を上げた。思いがけず真紀子の視線とぶつかる。

「どうしたの、母さん」

「えっ？」

「いや、おれのこと心配するなんてさ」

「ばかね。すぐ、そういう言いかたをするんだから」

真紀子は視線をそらし、袋から白い帽子《ぼうし》をとりだした。

「はい、これが青波の帽子。小学校は制服ないけど、この帽子だけはかぶってかようんだって。今日はね、青波の担任になる先生とお話できたの。島原《しまばら》先生って優《やさ》しそうな女の先生。その先生の子どもさんもあんまり、身体《からだ》強くないんだって。青波のこと、よく気をつけますからっておっしゃってくださったの。ママ、安心したわ」

青波も本を読んでいた。真紀子に投げつけるように、その本を放《ほう》る。

「ママ、学校で、もうそんな話してきたんか」

「そうよ。そのために学校に行ったんだもの。体育のこととか、ちゃんと、お話だけはしとかないと」

「ぼく、もう学校へ行かん」

青波の目が、真紀子をにらむ。

「ママが、いらんことばっかり言《ゆ》うから、もう学校なんか行かん」

「どこが、いらんことなのよ。学校に行かないなんて、ばかなこと言わないの」

「行かん、絶対に行かん」

巧は、本をとじて立ちあがった。真紀子と青波のケンカなんて、めずらしい。めずらしいけれど、見物人の顔で傍《そば》にいる気はしなかった。立ちあがった巧の横を、青波が速足で通り過ぎる。

「青波」

弟の手をつかんでいた。

「良太や真晴と、同じ組かもしれないぞ」

弟は兄を見あげ、少し唇《くちびる》をとがらせる。

「良太も真晴も、おまえのこと待ってるんじゃないのか」

「じゃ、行く」

青波は、あっさり頷いた。

「けど、ママ、ぼく、体育だってちゃんとできるんじゃけんな。プールだってするし、運動会も全部出るけんな」

乱暴な音をたててドアをしめ、青波は出ていった。

「なに、あれ」

真紀子がため息をつく。

「巧、母さん、青波が怒《おこ》るようなこと言った？」

「おれに聞かれても、わかんないよ」

「教えてよ」

真紀子は、イスにこしかけて、もう一度、深く息をついた。

「あんた、なんでもわかってるじゃない。青波は、どうしちゃったのよ。この間まで、あんなに素直《すなお》だったのに、ああ、やっぱり新田なんかに帰ってくるんじゃなかった」

「新田に帰ったのと青波は、関係ないと……あっ、そうでもないか、自由に咳《せき》ができるようになったって言ってたから、そこらへんと関係あるかもな」

どう関係あるのか。巧自身、よくわからなかった。

「咳？　違うわ、野球よ」

真紀子はほおづえをつく。拳に頰《ほお》がおさえられて、ゆがむ。

「あの子、野球のボール、大事そうに持って、寝《ね》てたわ」

「ボールを？」

「そう。新しいのじゃないのよ。土がついて汚れた古いボール」

(なっ、このボールちょうだい)

弾むような青波の声が聞こえる。

あのボール。豪の打ち上げたボール。おそらく、青波が初めてグラブでしっかりとつかんだボール。

あいつ本気なんだ。

いつのまにか、唇をかんでいた。

「あの子、本気なのかしら」

真紀子がつぶやく。

「本気で、野球する気なのかしらね」

「嫌だろ、母さん」

「嫌よ。青波に野球なんて、ぜんぜん似合わない。あんたとは違うのよ」

頰からはなした手で、真紀子はテーブルを小きざみにたたいた。イライラしたときの癖《くせ》だ。

「お父さんのせいよ、きっと。お父さんが青波をそそのかしたんだわ」

「母さん」

「なによ」

「ほんとにじいちゃんのせいだと思ってんの？」

テーブルをたたく音がやんだ。

「思ってないわ」

「じゃ、八つ当たりだ」

「そうよ、八つ当たり。ほかにどこに当たればいいのよ。まさか、あんたに当たるわけにいかないもの」

「おれ？　おれには、関係——」

「関係あるわよ」

弾くようなするどい言いかたで、真紀子は巧をさえぎった。

「関係ないなんて思ってないでしょ。青波は、ずっとあんたに憧《あこが》れてたんだから。お兄ちゃんみたいになりたいってね。わかってたんでしょ、巧。わかってて、青波のこと無視してたんでしょ」

コッコッコッ。こぶしがまた、テーブルをたたき始める。

「無視するなら、ずっと無視してたらよかったのよ。青波の前で野球なんかしなければよかったのよ」

「べつに、青波をおれの野球に引っぱりこむつもりなんかないよ。あいつが、かってにわりこんできて——」

身体の中のものを全部、吐き出すような深いため息が、真紀子の口からもれた。

「そうね、青波は、あんたに憧れてた。だから、どうしてもあんたの野球にわりこみたかった。けど、だめだわ。青波では無理よね」

「身体のこと？」

真紀子は首を振った。

「身体はね、ずいぶんじょうぶになったから……そんなんじゃないの。巧、わたしね、お父さんの傍で、たくさんの、ほんとにたくさんの野球選手を見てきたのよ。いろんな人がいたけど、やっぱり、いるのよね。野球をするために生まれてきたような人。そんな人は、他人に憧れたりしないの。誰かに憧れて、同じように野球をしたいなんて思ってる人はだめよ。いつか、だめになる。自分の野球に憧れることができる人、自分を誰よりも優《すぐ》れていると思える人じゃないとだめなの。巧、あんたはそうでしょ。憧れてる人なんていないでしょ。部屋にもポスターなんてはってないものね。だけど、青波はあんたに憧れて、追いつきたくて、がんばるわ。それで、どうなると思う？」

真紀子は、ごくりとつばを飲みこんだ。巧の顔をのぞきこむ。巧はわずかに、顎《あご》をひいた。

「どうなるわけ？」

「つぶれるわよ。身体も心もついていけなくなってぼろぼろになるの。そんなひと、何人も見てきたわ。考えすぎだとは思わない。あんたが傍にいるかぎり、青波は本気で野球をやろうと思いこむに決まってる。そう考えちゃうと、たかが小学生の野球なんて笑えないのよ。巧」

強い力をこめて、真紀子は息子《むすこ》の名前を呼んだ。

「言ってやってよ。青波に、野球を諦めろって言ってやってよ」

これと同じことを前にも言われた。

(巧くん、お願いがあるんだけど。……関係あるわよ。豪に野球をやめるように……)

母親って、みんな同じことを言うんだ。同じことを言って、子どもを守ったつもりになってる。

巧の頭の中で一瞬《いっしゅん》弾けた思いを読みとったように、真紀子が言った。

「節子も電話かけてきてたけど、あんたに豪くんのこと頼《たの》んだんだって？　野球諦めさせてくれって。断られたって、泣き声だったわ。もっとも、学生時代からよく泣く子だったけど。ただ、豪くんもあんたに出会わなければ、たぶん、野球やめてたんでしょ。それが、いっしょに甲子園まで行くってはりきってるらしいわよ」

「運命の出会いってやつだな」

ふざけようと思った。ふざけて、母とのこんな会話をぶちこわしてしまいたかった。けれど、うまく笑えない。

「なに、メロドラマみたいなこと言ってるの。巧、あんたが悪いわけじゃないのよね。よくわかってる。けど、何故だか、あんたは人をまきこんでしまうとこあるのよね。そこがすごいと言えばすごいんだろうけど……」

「まきこんでなんかいない」

「自覚してないだけ。だって豪くんだって、青波だって――」

「まきこんでなんかいないんだよ」

巧は奥歯をかみしめた。ぎりぎりと重い音が身体《からだ》の中でうなった。まきこんだとかまきこまれたとか、そんな関係なんかじゃない。

「青波のことなんか知らない。けど、永倉は、おれが野球やめろって言っても、きっとやめない」

「そうは思わないけど。もしかして、豪くんの一生に関《かか》わることになるかもしれないし……。わたしも気が重いのよ。節子が豪くんの将来を考えて野球をやめさせたいと思っているんだから、巧も考えてあげてくれない？　巧なら、誰がキャッチャーやっても、甲子園でも神宮《じんぐう》でも行けるじゃない」

「永倉じゃないとだめだ」

今まで思ってもいなかった言葉が口をついた。

真紀子の顔がかすかにゆがむ。無理に笑った顔だった。

「だめだなんて、おおげさね。まだ、十三歳にも、なってないのよ。あんたも豪くんも、やっと中学生よ。そんな決定的な出会いなんて、おかしいでしょ」

母が憎《にく》いと感じた。これほど、憎いと感じたことはなかった。

十三歳だから、どうだというんだ。十三歳だって、自分の将来を夢見れる。おれと出会って、永倉が将来を決めたのなら、それでいいじゃないか。十三歳のおれに、その力があるんだ。まきこんだとかまきこまれたとか、そんなちっぽけなものじゃない。

「母さん、ばかだよ」

「なんですって?」

「ばかだよ。母さんも永倉のおばさんも、ばかだ。なんにもわかってないんだ」

「巧、あんた、なに調子にのってんの。じゃ、あんたにどれだけのことがわかってんのよ。節子がどんな思いをして豪くんのことを育ててきたか、わかってるの。わたしが、青波をどのくらいがんばって大きくしてきたか、わかってんの、巧。青波が、熱出して痙攣《けいれん》起こして死にそうになったとき、わたしがどのくらい心細かったか、わかってんの? いいわよ、好きにしなさい。豪くんのこともいいわよ。だけど青波だけは、引っぱりこまないで」

話が違う。かみあっていない。

巧は、顎をつきあげるようにして、母の顔を見た。

「青波は、母さんがうるさいんだよ。おれに憧れてるんじゃなくて、母さんから逃《に》げたくて、野球をやろうとしてんじゃないか。そんなこともわかんなくて——」

真紀子の手が上がった。ぶたれるとわかった。わかったまま、巧は顔を動かさなかった。思ったより、ずっと強い力で真紀子の手が頬《ほお》にぶつかった。

母さんにぶたれたの、初めてだ。

口の中までしみてくる痛みの中で、ふっとそんなことを考えていた。

「巧、あっ……」

真紀子が両手で口をおさえる。形の良い指の上で、両方の目が大きく見ひらかれていた。驚《おどろ》いているのだ。

自分のやったことに、自分で驚くなんて……。

巧は、ぶたれた頬をおさえた。そうしないと笑ってしまいそうだった。

「巧、ごめんなさい」

真紀子があやまる。その素直《すなお》さもおかしかった。

「おれ、行くよ。永倉と約束してるから」

「どこへ行くの？」

「神社だよ。あそこでキャッチボールするんだ」

豪との約束の時間には、少し早かった。早くてもよかった。

「いつもの公園じゃないのね」

「あそこがすずしいんだよ」

「あっ、そうね。このごろ、おかしいほど暑いものね」

巧は帽子《ぼうし》を深くかぶった。四月に入って、季節の狂《くる》ったような暑さが続いていた。しかし、そんなことはどうでもいい。どうでもいい天候の話をして、気まずさをごまかそうとしている母が嫌だった。思いきりの力でぶってきた、さっきの母のほうが、ずっとましだ。自転車にまたがると、全速力で神社に向かった。母の怒《いか》りや戸惑《とまど》いを心に留めることなど、したくなかった。身体の周りを吹《ふ》きすぎる風とともに自分からはがれ、遠く飛びさってくれたならと思う。

神社の石段の下に、青波と豪の自転車があった。まさかと思った。春とは信じられないほどきつい太陽の光が、背中をじりじりと焼く。汗《あせ》がにじみ出た。石段を上がる。

境内《けいだい》で、豪と青波はキャッチボールをしていた。二人だけだった。

「青波、そんなに力まんでええぞ。ゆっくり投げてみ。おれのミットめがけるんじゃ」

豪の言葉に青波が頷く。青波の投げたボールは、わずかに弧をえがいて豪のミットにとどいた。

「その調子」

豪の声がひびく。巧の背中を汗が流れた。

樫《かし》の大木にもたれて、ふたりをぼんやり見ている。

青波のフォームは、フォームというほどの形をしていない。手も足もばらばらに動いて、おどっているようだ。

それなのに、ちゃんと豪のミットにとどいている。

綿シャツがめくれて、背中が見える。青波の背がのびたことに、巧は気がついた。

（ああいう目をした子は、うまくなるんじゃがな）

洋三の言葉をまた思い出す。拳を握って、樫の幹をたたいた。

「よう、原田、来てたんか」

「兄ちゃん」

豪と青波の顔が、同時にふりむく。

「兄ちゃん、キャッチボールしてもろうた」

青波が近よってきてボールをみせた。汚れた古いボール。青波の大事なボール。巧は、それを取りあげて手の中で回した。

「兄ちゃん、ぼくな、ちゃんととどいたんで」

「そうじゃ、原田、青波もたいしたもんじゃぞ。もしかして兄貴の上いくかもな」

「永倉、あんまりふざけたこと言うなよ」

豪が、笑いかけた口元をそのまままとめた。

「なんだよ、なに怒《おこ》っとんじゃ」

「怒ってないよ。青波、もう帰れ」

「やだ。なんで、帰らんといけんの」

青波は、巧の目を見て、一歩後ろに下がった。

「これから、おれと永倉が練習するんだから、おまえはもう帰れ」

巧は、語調をゆるめて言った。

「じゃ、ぼく、見よる。それならええじゃろ」

「帰れって。母さんが待ってるぞ」

青波は、大きく横に頭を振った。

「帰らん。兄ちゃんを見てる」

「原田、別にええじゃないか。青波がいたって、どうってことないがな。おまえの口ぐせじゃろ。関係ないっての」

巧は豪を無視した。青波だけをにらむ。

「青波、前にも言ったろ。おまえには無理なんだよ。どんなにがんばっても、おれにはなれないんだ。なんで、そんなこと、わかんないんだよ」

「ぼく、兄ちゃんみたいになれなくていい」

青波の答えがかえってくる。一瞬《いっしゅん》、まごついて黙《だま》りこんだのは、巧のほうだった。

「兄ちゃんみたいにボール、投げてみたいけど、兄ちゃんと同じでなくてええんじゃ」

そう言って、青波は首をかしげた。

「ぼくな、兄ちゃん、兄ちゃんみたいになりたいんじゃのうてな、野球がしたいんじゃ、それだけ」

やっとわかったというふうに青波が頷く。豪がへえと言って、青波の頰をつついた。

「しっかりしとるな、青波。たいしたもんじゃ」

巧は、奥歯をかみしめた。

「誰に言われたんだよ。青波」

「え？」

「おまえひとりで、そんな偉そうなこと考えられるもんか。だれに言われたんだよ。じいちゃんか？」

青波は、頷いて小さく舌をのぞかせた。

「じいちゃんとキャッチボールしたときな、野球がしたいかて聞かれたけん、すごくしたいて言《ゆ》うたら、巧には巧の野球があるし、青波には青波の野球があるけん、がんばれて言《ゆ》うた。兄ちゃんみたいになれんでも、楽しいおもしろい野球が、できるかもしれんて。なっ、じゃから、ぼく、やるんじゃ」

息がつまる気がした。

「じいちゃんともキャッチボールやったのか」

「うん。兄ちゃんがランニングに行ったときなんか、じいちゃんとした。おもしろいで、じいちゃん、いろんな話してくれるし……」

目をふせる。手の中の白いボールが見えた。

違ったよ、母さん。青波が野球をしたいのは、おれに憧《あこが》れてるからでも、母さんから逃《に》げるためでもないんだってよ。楽しい、おもしろい野球を、青波の野球をするんだってよ。

頬が、ぴりっと痛んだ。真紀子の手の感触《かんしょく》。

じゃ、おれはなんで母さんにぶたれなきゃいけなかったんだ。

腹が立つ。真紀子にも洋三にも腹が立つ。誰より、自分の前で何の邪気《じゃき》もなく笑っている青波に、いちばん腹が立つ。

「ばか」

大声で叫んでいた。青波の顔がひきつる。

「ばか。おまえなんかに野球なんかできるもんか。楽しい野球だって？　笑わせるな。ちょっと走っても息切れしちゃうような奴に……フライをやっととって喜んでいるような奴に、野球なんかできないんだよ」

むちゃくちゃ言っているとわかっていた。青波なら、本当に野球を楽しめるともわかっていた。なのに言葉がとまらない。

「おまえなんか、すぐ熱出して寝《ね》こんじゃうじゃないか。布団《ふとん》の中で楽してるような奴は、だめなんだ」

青波は、楽なんかしていない。咳《せき》ひとつするにも、森口のおばはんに気をつかってたじゃないか。わかっているんだ。

黙らなければと思う。巧は、唇をかみしめようとした。自分で自分をコントロールできない。

マウンドで、ぜんぜんストライクが入らないときって、こんな気持ちになるんだろうな。

頭の隅で、ちらっと思う。

「原田、もうやめとけ」

豪の手が肩《かた》をつかむ。巧は、大きく息をすうことができた。

「ばか、兄ちゃんのほうがばかじゃ」

巧が静まるのを待っていたように、青波が叫んだ。

「兄ちゃんなんか、なんでも自分が一番じゃと思うとんじゃ。兄ちゃんなんか、なんも知らんくせに、えらそうに言《ゆ》うな」

豪がくすっと笑った。

「言えとる」

「兄ちゃんもママも関係ないけん。ぼく、野球するもんな。兄ちゃんなんか——」

巧は、手の中のボールを握り直した。投げる。

「あっ」

青波の声が響いた。ボールは、社にぶらさがった鈴《すず》に当たった。グァランと音がして、鈴が揺れ、ボールは、はねかえって木立の間に落ちた。

「ばか、ばか」

青波が、走りだす。

「おまえ、やりすぎじゃぞ」

豪は、ひとこと言って、青波の後を追った。

巧は両手をポケットに入れて、樫《かし》の木にもたれた。なんとなく、身体《からだ》がだるかった。身体も心も気怠《けだる》い。

疲労感《ひろうかん》がじわりと染《し》みてくる。背中を大樹の幹にもたせかけたまま、巧は、目を閉じた。最低だ。自分のことをひどい奴だと思う。ボールが見つからなければ青波は、兄を許そうとはしないだろう。目の前で無邪気に笑っただけの弟を何故あそこまで傷つける必要があったのだろう。目を開け空をあおぐ。最低だ。

頭上には、ぎらつく青い空があった。

しばらくして、青波と豪が木の間から出てくる。青波は泣いていた。

「良太や真晴にも言《ゆ》うて、明日、いっしょに捜しちゃるけん。もう、泣くな。もし、なかったら、ひとつ新しいのやるけん」

豪が、なぐさめている。ボールは、見つからなかったのだ。

「いやじゃ。あのボールじゃないと」

青波が、拳で涙《なみだ》をぬぐった。

「だったら、絶対、明日、みんなに声をかけて、いっしょに捜しちゃるて。だいじょうぶ、木の根っこにでもはさまっとるんじゃから、みんなでよう捜したら、見つかるて」

「本当に、明日捜してくれる？」

「捜しちゃる。だから、今日は帰れ、なっ」

豪は、身体をまっすぐにして巧をにらんだ。

「原田、ちょっとやりすぎじゃねえか」

巧は、ゆっくり身体をおこすと、歩きだした。

「行くぞ」

「行くって、どこに？」

「公園。あそこのマウンドのほうがいい」

「青波、どうするんじゃ？」

「ここまでひとりで来たんだろ。帰れよ。青波」

振りむくと、青波の涙のたまった目があった。

涙をためながら、にらんでくる。巧は、足早に石段をおりた。

「ほんまに、もう帰れな。ここは早《はよ》うに日がくれるんじゃ」

豪が念をおす声が聞こえてきた。

石段の下でおいついた豪は、

「原田、ほんまにやりすぎじゃぞ」

と、言った。三度目だった。

「しつこいな」

「なんべんでも言《ゆ》う。やりすぎじゃ。まるでヒステリーじゃねえか。あんなことされて、青波がかわいそうじゃ」

「おまえも青波、青波ってうるさいな」

「だって、青波はかわいいぜ」

巧は、自転車にまたがったまま、豪に目をやった。

「永倉、おまえ、まさか変な気があるんじゃないんだろうな」

「変な気って？」

「年下の男の子が趣味《しゅみ》だとかさ」

「あほか、何考えとんなら。おれ、弟がおらんけん、青波みたいなのが下におったらかわいいじゃろなて、そういう意味で言《ゆ》うたんじゃ」

「かわいいもんか」

巧は、ペダルにかけた足に力を入れた。夏を思わせる熱い空気の中を走りだす。吹《ふ》き過ぎる風まで熱い。

ほんの一瞬《いっしゅん》、豪が羨《うらや》ましかった。他人を真正面から思いやることのできる資質が、打算も嘘《うそ》も衒《てら》いもなく、〝かわいい〟と慈《いつく》しみの言葉を口にできる力が羨ましい。しかし、羨《せん》望《ぼう》は、一瞬の後、風にさらわれるように消えて、わずかないらだちだけが残る。

公園に着いた。だまってマウンドに立つ。豪も黙って、本塁《ほんるい》ベースの後ろに座った。

巧と豪の間をボールだけが行き来する。十球目をこえたところ、豪がボールを持ったまま、近よってきた。

「なあ、こんなぶすっとしたキャッチボール、やめようぜ。息がつまる」

「肺活量がないのとちがう？　おれは平気だぜ」

「うそつけ。いつもよりボールに力がない。本気で投げてないんじゃろ」

どきっとした。豪にこんな風に言い切られるとは思わなかった。

「暑いんだよ」

「うん、ここは特別に暑いんじゃ。やっぱり神社のほうがよかったな」

「ちゃんとマウンドのあるほうがいいに決まってるだろ。いいよ。嫌なら帰れよ」

「だれも嫌じゃなんて言《ゆ》うてないじゃろが。だいたいおれが帰ったら、どうやってキャッチボールやるんだよ。野球は水泳や体操と違うんじゃぞ。絶対ひとりで練習なんかできんじゃろ」

巧は、豪の手からボールを取りあげた。

「おまえに野球について教えてもらわなくていいよ」

豪は、しばらく黙《だま》っていた。それから、ゆっくり額の汗《あせ》をぬぐって、巧に背を向けた。そのまま帰ってしまうのかと思った。しかし、豪はキャッチャーの位置に座り、ミットを構え、

「よし、こい」

と、やたら大きな声を出した。

「帰らないのか？」

「夜中につきあってもろうとるからな。昼間の暑いのぐらいがまんしちゃる。だけど、もうちょっと原田らしい球を投げろよな」

巧は頷く。そうだ、その通りだ。母も弟も暑さも忘れてしまえばいい。

巧は投げた。豪が受けとる。

「原田。セットポジションで投げてみぃ」

言われた通りに投げる。豪が首をかしげた。

「原田、おまえ調子悪いんか？」

「なんで？」

「だって、……やっぱりおまえの球と違うで」

豪は、ミットをはずし、マウンドに走りよった。

「今日は、もうやめようや」

「やめるのか」

そういって、巧は口ごもった。豪にやめようと言われて、心底安堵《あんど》している自分に気がついたのだ。

「いつものな、ミットにくいこんでくる感じがないんじゃ。おまえの球を受けてる気がせん。うん、全然せんよな」

「そんなことない。でたらめ言うな」

怒鳴っていた。豪は平気な顔をしている。

「おまえは自分で自分の球を受けたことなかろうが。おれは、原田の球をずっと受けてきたんじゃ。じゃからわかる。今日の球はおまえが思うとるより、ずっと力がない」

豪の言葉がでたらめではないとわかっていた。頰《ほお》がこわばってくる。自分の思う通りの球が投げられないなんて、初めてのことだった。

さっき、青波に対して自分自身をおさえきれなかった。今、このボールさえ思うようにならないとしたら……。

「さっ、帰ろう。とちゅうでジュース飲んで帰ろうや」

「永倉」

「なんじゃ。アイスのほうがええかな」

「永倉、おれ」

「なんでそんな顔するんじゃ。別にええじゃないか。だれだって調子のええ悪いはあるじゃろ。試合のとき、最高の調子だったらええんじゃから」

「いや、だけど」

そこで言葉がつまった。豪に慰《なぐさ》めてほしいのでも、励《はげ》ましてほしいのでもない。手の中のボールが重い。巧は豪にボールをかえした。

突然《とつぜん》、自転車のベルの音がした。沢口だった。

「やっぱ、ここにいた」

額に汗をにじませ、息をはずませている。

「沢口。来るのがおそい。今日はもう帰るんじゃ」

沢口は、大きな包みをぶらさげていた。

「今日は、野球どころじゃねえ。これこれ、食べてくれ」

包みをあけなくてもイチゴだとわかった。甘いにおいが、むせるように匂《にお》っていた。

「この暑さで、イチゴがむちゃくちゃに熟《う》れてしもうて。うちはてんてこまいじゃ。熟れてしもうたら、イチゴは次の日にはくさりだすけんな。これ、売りもんにならんやつ。食べてくれえ」

豪がヒュウと口笛を吹いた。

「じゃ、林の中でいただくか。あそこならすずしい」

熟れて甘くむせかえるイチゴは、信じられないほどおいしかった。強烈《きょうれつ》な、それでいて後に残らないみずみずしい甘さ。かわいた口に、新鮮《しんせん》な果物《くだもの》の甘さが広がった。

「うまい。ほんと、うまいな」

巧は、感心する。

「うん、野菜も果物もとりたてが、いちばんうまいらしいけんな」

沢口が、つぶれたイチゴをつまみだし、無造作にすてる。

「こんなうまいもの食べられるなんて、いいな」

そう言った巧の顔を横目で見て、沢口はまたイチゴをすてた。

「よくねえよ。農家なんてたいへんじゃ。天気しだいで何がどうなるかわからん。晴れても雨が降りすぎても風が吹いてもどたばたせにゃあいけん。去年は、寒うて米がとれん。今年は暑うてイチゴがだめになる。そのたびに、お父ちゃんもお母ちゃんも、じいちゃんもばあちゃんもどたばたして、天気予報ばっか気にして、見とったら、なんか情けのうなる」

イチゴがのどにつまる。巧は咳こんだ。

「原田みたいに、なんかすっげえ才能がある奴のほうがええよ。絶対、ええよ」

「こんな、うまいイチゴが作れるより？」

沢口があきれたように口をあけて、巧を見た。今度は、正面からまっすぐに見た。

「あたりまえじゃ。イチゴ作ってなんぼのもんじゃ。もし原田がプロの選手になってみぃ、何千万、何億てもらえるがな」

「いや、金のことじゃなくて……うん、よくわかんないな。悪かったよ、よくわかんないこと言って」

豪と沢口が、顔を見合わせる。

「原田」

豪が、身をのりだした。

「おまえ、やっぱり、どこか悪いとちがうか」

「そんなことないけど」

「だって、やけに素直《すなお》じゃぞ。原田らしくないぞ。しっかりせえ」

巧は、だまってイチゴを口の中に放《ほう》りこんだ。

9　池のそばで

下腹が張って苦しくなるほどイチゴを食べて、草の上に少し寝ころがってから、家に帰った。もう薄暗《うすぐら》くなっていた。

玄関《げんかん》でくつをぬいでいた巧の前に、真紀子が立った。

「お帰り」

「うん」

「ひとり？」

くつにかけた手をとめた。母の声が少し震えているような気がした。

「青波、まだ帰ってないのよ」

壁《かべ》の時計を見る。六時三十五分。

「こんな時間なのに、まだ帰ってないの。巧といっしょにいるんだとばっかり思ってたんだけど、違うの？」

「いっしょじゃないよ。おれ、ずっと永倉たちといたから」

真紀子の表情が硬くなる。

「そう。こまった子だわ。こんなにおそくまで何してるのかしら」

真紀子は、ぬれてもいない手をエプロンで何度もふいた。

「今まで、こんなことなかったんだけど……」

「良太とか真晴とか、友達のとこだろ」

真紀子が首を振る。

「さっきね、買い物に外に出たの。ちょうど良太くんたちが自転車で通りかかってね。きいてみたけど、今日はぜんぜん遊んでないって。ほかに心当たりない、巧？」

では、青波はずっと神社にいるのだろうか。まだ、ボールを探しているのだろうか。まさかな。心の中でつぶやいてみる。雑木におおわれていた境内《けいだい》はもう、真っ暗になっているはずだ。ボールなんか見えるはずがない。

「腹がへったら帰ってくるよ」

そう言ってから、巧はつばを飲みこんだ。水槽《すいそう》がある。そこに白い腹を見せて、ブルーギルが浮かんでいた。

朝、えさのかわりにアマガエルを一匹《ぴき》、放《ほう》りこんでやった。瞬きする程の瞬間《しゅんかん》に、魚はカエルを飲みこみ、水槽の底にしずんでいた。それが今、水面に浮かんでいる。生きていたとき、ぎらぎらして見えた目が白くにごっていた。一瞬《いっしゅん》、背中から足の先までが冷たくしびれた。

「捜《さが》してくるよ」

くつをそのまま、つっかける。

「心当たりあるの、巧」

母には答えない。返事のかわりにドアをたたきつけるようにしめた。

「わぉ、びっくりした。どないしたんじゃ、原田」

玄関の外に、豪がいた。さっき、別れたばかりだった。

「永倉こそ、何してんだ。他人《ひと》の家の玄関先で」

「いやいや、言い忘れたことがあってな。あさってのことなんじゃが」

巧は豪をおしのけた。あさってのことなんかどうでもいい。自転車にまたがる。豪の大きな手がハンドルをおさえた。

「おい、ほんまに、どないしたんじゃ」

巧は、ハンドルの上の手を見つめた。門灯の明かりの中で、その手は白く光って見えた。

「永倉の手って、ずいぶんでかいな」

豪が手を引っこめる。

「何言っとるんじゃ。なんかあったんか?」

「青波が」

「青波が?」

「まだ、帰ってこないんだよ」

豪が、えっ、と小さな声を出した。

「おれは優《やさ》しいお兄さんだから、捜してきてやるんだよ。な、母さん」

玄関からのぞいた真紀子に手を振る。顔は見ない。門を出ると、全速力で自転車をこいだ。後ろから、豪がついてくる。ブレーキをかける。

「なんでついてくるんだよ」

「いっしょに、捜しちゃる」

「いいよ、そんなおおげさなもんじゃないから、おまえ、忙《いそが》しいんだろ。おれひとりで充《じゅう》分《ぶん》だよ」

「原田、おまえ神社の森のこと、なんも知らんじゃろ。あそこは小そうても山なんじゃぞ。山というのは、迷いこんだら出るんが難しいんじゃ。おまえだって、初めて会《お》うたとき、道がわからんでへんなとこに出てしもうたじゃろ」

「へんなとこって、ちゃんと池のそばに出たから……」

「あの池、囲いがないんじゃ。昼間ならええけど、こんなに暗《くろ》うになったら、水の色が暗いけん、周りと区別がつかん。日がくれてしもうたら、おれたちでも近づかんようにしとる。青波みたいに、なんもわからん奴が迷うて、池のそばに出たら」

豪は、言葉を切る。巧はハンドルを握りしめると、力いっぱいペダルをふんだ。

神社の石段の下に青波の自転車はあった。石段をかけ上がる。境内は暗い。そしてひんやりと冷たかった。昼間の暑さが嘘《うそ》のように、冷たい風が吹いていく。

「青波」

弟の名前を呼んでみる。答えるように木の枝がざわめいた。

「林のなか通ってあの池んとこまで、おりてみるか」

豪に言われて、巧は社のほうに目をやった。昼間、ボールをぶつけた鈴《すず》。その横に小さな電灯がともっていた。今、境内にある灯はそれだけだ。社の後ろの林は黒々とそびえ、巨大な一塊《いっかい》のようだ。

「おれの後についてこいや」

豪が顎をしゃくる。両手をポケットに入れて、巧はその後ろにしたがった。

この前、ひとりでおりた道を豪の後から歩いていく。風がまた、少し吹いてきた。枝が揺れ、葉が揺れ、草が揺れ、それぞれに音をたてる。

風の音ってずいぶん複雑なんだ。

と、思う。複雑な音と山の暗さに心がさわいだ。もし、青波がひとり、この道をおりたのだとしたら、とんでもない所に行ってしまっている。そんな気がした。ぞくりとまた、寒気がした。前に豪の背中があることがありがたかった。

「青波」

豪の太い声がした。答えはない。木々が鳴るだけだ。

「この道、おりたとしか考えられんよな」

豪がつぶやく。巧にはわからなかった。

「青波」

せいいっぱいの大声で弟を呼ぶ。それぐらいのことしかできなかった。

「池のそばまで、行ってみよう。それで見つからんかったら、大人を呼んでこんといけんな」

豪の言葉に頷く。頷いたあと、「まったく、あいつは」と舌打ちぐらいしたかった。けれど、顔がこわばって口も舌もうまく動かない。かわりに心臓の動きが速くなる。

「青波、ばかやろう。返事しろ」

そう怒鳴っただけで、息がきれた。

池のそばに桜が咲《さ》いていた。細い貧弱《ひんじゃく》な木。それでも花が咲いている。咲いた花だけが白く闇《やみ》の中に浮かんでいた。あとは暗い。池の水面《みなも》は何も映さず、ただ黒く静まっていた。

巧は青波の話を思い出した。ブルーギルが死体を食べる話。水の底にしずんだ死体に何十四《ぴき》というブルーギルがむらがっている。吐《は》き気がした。

「こんなとこに青波、いないよ」

「なんで？　そんなことわからんじゃろ」

「あいつ、すごい怖《こわ》がりなんだ。こんなとこにひとりでいられるもんか」

ばかなことを言っているとわかっていながら、巧はしゃべり続けた。

「きっと、もう家に帰ってるんだ。飯なんか食べてたりして……そうだよ。そうに決まってる」

「石段のところに自転車おいたままか」

巧は黙りこんだ。息をすいこむ。豪と巧の声が重なった。

「青波」

返事しろよ、青波。返事しなかったらぶっとばしてやる。

「兄ちゃん」

闇のむこうから谺《こだま》するように返事があった。信じられなかった。

「青波、いるのか！」

「池のそば。怖くて動けない」

「どこだよ、どこにいる」

「原田、あっちじゃ。向こう岸の木の下。なんであんなとこまで、行けたんじゃ」

豪が指さす。闇になれた目に、小さな影《かげ》が動いて見えた。

「ばか、動くなよ。おっこちたらどうすんだ」

巧は、桜の木の下を走りぬけようとした。

「原田、走るな」

背後から、豪の叫《さけ》びにちかい声がぶつかってくる。

「ばか、あぶない」

えっ。

ふいに、足の下の地面が消えた。地面ではなく、池の上にのびた草をふんでいたのだ。

身体《からだ》が浮く。目の前に木の枝が見えた。はっきりと見えた。

だめだ。今、このかっこうで枝をつかんだら指を折る。頭の中に熱い針をつっこまれたようにそう思った。指だけは、右手の指だけは傷つけたくない。

巧は指を握りしめた。水がおおいかぶさってくる。口の中に川魚の生臭《なまぐさ》い匂いが広がった。胸がおさえつけられるようだ。足に何かがからみつく。ブルーギルの白い腹が浮かぶ。そのまま頭の中も真っ白になりそうだった。ゴボリと口から空気が逃げていく、「原田！」

なぜか、豪の自分を呼ぶ声が間近で聴《き》こえた。腕を引っぱられる。身体が引き上げられる。耳の側で水音がした。草の上に転がる。息ができた。和草《にこぐさ》の青い匂《にお》いが鼻腔《びこう》に満ちる。

「あほか、あぶないて言《ゆ》うたじゃろうが。死ぬぞ」

「兄ちゃん」

遠くで青波が呼ぶ。

「青波もかってに動くな。今、行っちゃるから」

巧はあおむけに身体の向きをかえた。夜の空がある。星が、三つまたたいていた。風の音も、青波の声も、木々のざわめきも、示し合わせたようにとぎれた。草をふみしめる豪の足音だけが、やけにはっきりと響いてくる。ゆっくりと、一歩一歩をふみしめて歩く音だった。

かなわねえな。

あいつにはかなわない。指を広げてみる。傷ついていない。ほっとした。

「だいたい、なんで、あんなとこにおったんじゃ」

「ボール捜してたら、へんなとこに出て、帰れんようなったんじゃ。こわかったけど、動かずにおった」

「そりゃ正解じゃったな。へたに動いてたら兄貴みたいになっとった」

ふたりの声と足音が近づいてくる。

「兄ちゃん」

青波の手が頰《ほお》にふれた。

「だいじょうぶ?」

巧は上半身を起こす。

「ばか、おまえに心配してもらわなくていいよ。そっちこそ、何やってんだ。ばかやろう」

豪がくすっと笑う。

「青波はりっぱだぞ。ちゃんと動かずにおった。道に迷ったときの基本じゃからな。うん、りっぱじゃ」

「ぼく寝《ね》てた」

「寝てた?」

巧と豪は顔を見合わせる。

「うん、木の下でじっとしとる間に寝てた。兄ちゃんの声がして目が覚めた」

　豪が、今度は声を出して笑う。

「たいしたもんじゃ。原田。青波はおまえが思うとるよりはるかに大物じゃな」

「ばか」

　怒鳴りつけたつもりだったけど、声に力が入らない。

「兄貴のほうがよっぽどあわててた。マウンドのすました顔とは大違いじゃ。もしかしたら原田……なっ」

「なんだよ」

「おまえ、連打なんかされたことないんじゃろ？」

「ないよ」

「ノーアウト満塁《まんるい》なんてピンチ、経験したことないんじゃろ。この打者には打たれるなんて感じたこともないな」

「何が言いたいんだ」

「いや、おまえ、きっとな」

　豪の顔から笑いが消えた。そうすると、ひきしまったきつい顔になる。

「ピンチに弱いぜ」

巧は立ちあがった。ずぶぬれの身体が重い。

「おい、どこに行くんじゃ」

「帰る」

「兄ちゃん」

突然《とつぜん》、青波が腕《うで》にぶらさがってきた。

「さがしに来てくれて、ありがとう。ほんまは、すごうこわかった」

青波の身体の温かさが伝わってくる。柔らかな心地《ここち》よい温かさだった。巧は、腕を振った。青波がよろめく。

「おれの腕にさわるな」

青波の身体がびくっと震えた。

「ばかやろう。何がありがとうだ。おまえの心配なんかしてないよ。池でおぼれて魚のえさにでもなれ」

「おい、原田、またまた言い過ぎじゃ」

「うるさい。なんだ、偉そうに。誰がピンチに弱いだ。ふざけんな。おれはピンチなんかにならないんだ。三振《さんしん》とりゃあいいんだろ。何がノーアウト満塁だ。おれをそこらへんのへぼ投手といっしょにするなよ」

「いっしょになんかしてねえよ。ただ」

「ただ、なんだよ」

「原田巧にだって弱点はあるていうことじゃ。だけど、それをおれたちがカバーしていく。いつまでも、原田はすごいて感心ばっかしとれん」

「そうだよ」

青波が、ポケットからボールを取りだす。

「ほら、ぼくだってフライとれたんじゃけん」

「あったのか」

「うん、ずいぶん下のほうに転がっとった。でも、あった。これ、ぼくがとった初めてのボールで。なっ、ノーアウト満塁でもフライとったら、ええんじゃろ」

豪が頷く。

「そうじゃ。それからおもいっきりバックホーム」

巧はボールから目が離せなかった。やっぱりボールを捜していたのか。こんなボール、こんな汚《よご》れたボールを捜してたのか。

青波が巧を見あげ、また、腕にさわった。

「兄ちゃん。ほんまのほんまにこわかった。けど、じっとしてたら、兄ちゃんが来てくれるってわかっとったけん……ずっと待っとったんで。待っとる間に寝とったんで」

目の後ろがぎりっと熱くなった。眼球をおしあげるようないきおいで涙《なみだ》が出た。あっと声をあげるひまもなく、頬に流れ落ちる。

ばか、なんで涙が……。

めまいがした。しゃがみこむ。嗚咽《おえつ》が歯の間からもれた。とまらない。あせる。同時に吐《は》き気が、胸の奥からせりあがってきた。両手で口をおさえる。涙と同じぐらい熱いものがあふれた。胃がねじきれるように痛い。ねばり気のあるかたまりが、おさえた指をこして、草の上に落ちる。闇《やみ》の中でも赤く見えた。血……。

「原田」

「兄ちゃん」

巧は手をのばして、池の水であらった。赤いものがイチゴだとわかった。夕方、あれほど芳香《ほうこう》を放っていた果物《くだもの》が、今は、すえた臭《にお》いをまきちらして、どろどろと指の間をすべり落ちていく。

かがみこむと、また、吐き気がした。歯をくいしばってたえる。汗《あせ》がにじんだ。

「原田、だいじょうぶか」

「来るな」

必死で、こみあげてくるものを飲みこむ。

涙だけがとまらない。顔を腕の中にうめると、身体《からだ》が震《ふる》えた。豪と青波が後ろに立っている。黙って、自分の背中を見ているとわかっている。なのに身体が震える。泣き声がもれる。

心も身体もボールさえも思うようにならない。

どうともなれという気がした。

もう、どうなってもいい。笑われるのも同情されるのも死ぬ程嫌だったけれど、今の自分を自分でどうにもできないと感じた。

腰《こし》をおとしてひざをかかえこむ。そのまま、巧はしゃくりあげて泣き続けた。

どのくらい、そうしていたかわからない。眠《ねむ》ったような気もした。

「原田、歩けるか?」

手が肩《かた》を揺する。振りかえると、豪と青波が後ろに座っていた。

「なっ、歩けるか?」

「歩ける」

立ちあがるとふらついた。吐き気も涙もおさまっていた。かわりに頭がしびれるほど痛い。きりきりと脳髄《のうずい》をしめあげるような痛みだ。

「おまえ、熱あるんじゃないか。すげえ、熱いぞ」

「だいじょうぶだよ」

「だいじょうぶなわけないじゃろ。どうも昼間から様子がおかしい思ったんじゃ。なっ、おんぶしちゃろうか」

「ばか、ふざけんなよ」

奥歯をかんで足に力を入れる。それでもうまく歩けない。身体の下半分が自分のものでないようだ。ふいに豪の肩がわきの下に入ってきた。手が腰のあたりをつかむ。支えられると歩くのが少し楽になった。

「おんぶがいやなら、自分の足で歩けよ」

「歩くよ」

「けど、ほんまにすごい熱いぞ」

「兄ちゃん、だいじょうぶ？　なあ、だいじょうぶ？」

まったく、青波に心配されるようじゃ、おしまいだ。

口の中がかわいて、声にならない。頭の痛みがひどくなる。

「がまんするな」豪が、ささやく。

「目を閉じて、もっともたれかかれ、力をぬいて……」

巧は子守唄《こもりうた》のようにその声を聴《き》いていた。痛みは頭の中で脈打っているのに、心の一部が心地よく緩《ゆる》んでいく。他人の身体と存在がこんなにも快いものだと初めて知った。ほんとに、こいつには……かなわねぇな……目を閉じて、今、自分を支えてくれる者に、身体全部をゆっくりとあずけた。それから後の記憶《きおく》はとぎれとぎれにしかない。

石段のところに車がとまった。ライトが眩《まぶ》しかったのを覚えている。真紀子と広がおりてきたような気がした。誰かに、身体を持ちあげられた。「巧」と呼ばれた。

「いいよ、もう眠たいよ……」

自分の声がはるか遠くでした。切れぎれにでも、記憶があるのはそこまでだった。巧の意識は暗闇《くらやみ》の中に引っぱりこまれて消えた。

目が覚めたら天井《てんじょう》が見えた。視線を動かすと青いカーテンや机の上のボールも見えた。ああ、自分の部屋にいるのかと気づくのに、しばらく時間がかかった。横を向いて時計を見ると十時を回っていた。朝の十時。雨の音がした。いったい何時間、眠っていたんだろう。考えるとまた、鈍《にぶ》い頭痛がした。

ドアがあく。青波がのぞいていた。

「兄ちゃん、目が覚めた」

「まあな」

青波の顔が引っこむ。

「ママ、兄ちゃん、起きてる」

足音がふたつ。階段を上がってくる。青波と豪と真紀子が部屋に入ってきた。

「なんだよ、なんで永倉がいるんだよ」

「さっき来たんじゃ。原田が生きとるかなと思うてな」

「あたりまえだろ。たいしたことないよ」

「たいしたことあるわよ」

真紀子が盆《ぼん》を机の上におく。薬の箱と水の入ったコップがのっていた。

「昨夜《ゆうべ》、いくら熱があったと思うのよ。三十九度八分よ。青波でもめったに出さない数字だわ」

さし出された体温計をわきにはさむ。真紀子の手が額にさわった。

「苦しくない、巧？　おなかはすいてない？」

首を横に振る。母の手を額からどけたかった。豪や青波の前で、小さな子どもにするように労《いたわ》ってほしくない。さっしたように、真紀子は手をどけて、だまりこむ。電子体温計が鳴った。

「三十七度三分。さすがに、回復も早いわね。でも、用心しとかないとね。昼から病院行こうよね」

　豪がのぞきこむ。

「おれんとこだぜ。来いよ、特別サービス注射二本つき」

「死んでも行かない」

「簡単に死ぬなんて言わないでよ。あんた覚えてないかもしれないけど、昨夜はたいへんだったのよ。永倉先生に往診してもらって、点滴《てんてき》してもらって……ほんとに、もうびっくりしたわ。二度とごめんよ、こんなの」

　真紀子はうつむき、体温計を手の中で回した。

「二度とないよ」

　巧の言葉に、真紀子が顔を上げる。

「だいじょうぶ。こんなこと、二度とないって」

　ゆっくりと巧はくりかえした。

　頭痛や身体のだるさより、母の戸惑《とまど》うような労りの中で、無防備に横たわっている。そのことが苦痛だった。体温計にもう一度視線をおとし、真紀子は軽いため息をついた。

「ともかく、薬だけでも飲んどかないと」

「ママ、これちがうで」

青波が真紀子の手をおさえた。

「これ、ぼくの発疹《はっしん》の薬じゃが。熱の薬とちがうで」

「えっ、そうなの？」

「そうじゃ。熱の薬はおんなじ白い色じゃけど、もっと平べったいやつで」

真紀子の顔が赤くなる。

「そうなの、そうよね。ごめん。なにしろ巧が熱出すなんて思ってもいなかったから、あわてちゃって。ごめん、すぐお薬持ってくる」

「いらないよ。薬なんかいらない」

「だけど、そうはいかないわ。ちょっと待っててよ」

真紀子が部屋を出ていく。巧は青波に人さし指を向けた。

「青波、母さんを見ててくれよ。今度は下剤《げざい》なんか持ってくるかもしれない」

笑いながら青波も出ていく。雨の音が大きくなった。

「原田の部屋って」

豪が首を回す。

「ほんまに殺風景じゃな。ポスターぐらい、はればええのに」

「他人《ひと》の部屋の心配までするなよな」

「松井《まつい》とかイチローとか藪《やぶ》とか、はる気ない？」

「ない」

「小野《おの》とか高原《たかはら》とかは」

「それ、サッカーだろ」

豪が肩《かた》をゆすって笑う。

「永倉」

「なんじゃ」

「おれに用があったんだろ」

「えっ？」

「昨日さ、あさってのこと、どうのこうの言ってただろ」

豪は、ああと言って、頭の後ろをかいた。

「じつはな、明日、江藤が広島に行くんじゃ。十時十五分の特急。それで駅に見送りに行かんかなと思うて」

「江藤って、ポケベルか」

「うん。あのとき、ケンカしたみたいになったけど、江藤な、嬉《うれ》しかったと思うんじゃ。けっこう、うまく転がしたもんな、原田の球をな」

「うまかったな」

巧は豪に、にやっと笑ってみせた。

「キャッチャーが永倉じゃなかったら、一塁《るい》セーフだったかもな」

「いや、そこまでは言わんけど、あんな、ケンカみたいなかっこうで終わっちゃったら、もったいないかなって……」

「もったいない？　何が」

豪はうつむき、頭をかきつづける。

「いや、もったいないというか。ほら、せっかく原田の球を打てて、そりゃあアウトになったけどけっこう嬉しかったりしたのに、へんに言い合いになって、嬉しい気持ちがもったいないっていうか、うん、なんかようわからんけど」

巧は、枕《まくら》に頭をつけたまま豪の言うことを聞いていた。ふしぎな奴だと思っていた。巧なら、絶対考えないようなことを考えて、一生懸命《けんめい》にしゃべっている。

「だけど、病気じゃ、しょうがないもんな。熱が三十九度も出たのに、見送りなんか行けんよな」

「行くよ」

頭をかいていた豪の手がとまった。

「見送りにか？」

「おまえがさそったんだろ。行くよ」

「だけど、無理だろが」

「昨日三十九度、今日三十七度。明日にはなおってるよ。行くよ。原田がよろしく言ってたなんて、おまえにかってなこと言われちゃ、かなわないもんな」

「言《ゆ》わんよ」

「わかるもんか」

頭の芯《しん》が、まだ重苦しい。巧は目をとじて、大きな息を吐いた。

「じゃ、おれ帰るわ」

豪の立ちあがる気配がする。

「明日、十時前にむかえに来るぞ」

「ああ」

ドアのしまる音。足音。真紀子の声。「あら、もう帰るの」「原田、眠《ねむ》たいみたいですよ」「そう。じゃ、寝《ね》かせておきましょ。あっ、豪くん、いろいろありがとう」……。

あぁ、そうだ。お礼言わなきゃいけなかったかな。

目をとじて考える。

昨日は、ありがとう。助かったよ。せわになったよな。

ありふれた古くさい言葉しか浮かんでこない。こんなことを言いたいんじゃない。

池から引き上げられて息をつけた。その快さとか、無傷の指を見たときのほっとした気持ちとか、青波を見つけてくれたことへの感謝とか、泣いてしまった自分がどんなふうに見えたのかとか、言いたいことも聞きたいこともたくさんある。どんな言葉を選べば、豪に伝わるだろうか。重い頭で考え続ける。

いいさ、時間はたっぷりある。これからバッテリーを組んでいくなら、時間はたっぷりあるはずだ。

気が楽になった。巧は身体《からだ》を横に向け、雨の音を聞きながら眠った。

次に目が覚めたとき、広がいた。

「なんだ父さんか、ぼおっと立っているから幽霊《ゆうれい》かと思った」

「ひどいこと言うなよ。よく寝てたな、巧」

「ひとの寝顔見てるなんて趣味《しゅみ》悪い。だいたい、どうして父さんが……ああ、今日は日曜日か」

広は、ベッドのわきに立ったまま少し笑った。

「巧、ほら、これ見てくれ」

丸まった画用紙を広げてみせた。薄《うす》い青の色をバックに、投球動作に入ったピッチャーと、本塁ベースにすべりこんだランナーが描かれている。

「ポスター？」

「そうだ。稲村くんに頼《たの》まれてたやつ。どうだ？」

「きれいな絵だな」

感じたままを言った。青の色も、ピッチャーやランナーの姿も、美しいと思った。

「そうか、巧に褒められると嬉しいよ。おまえは嘘《うそ》つかないからな」

広はにこにこしている。真紀子がのぞいて、

「巧、何か食べられる？　果物《くだもの》持ってこようか？」

と、尋ねた。

「父さんも母さんも、そんなに気をつかわなくていいよ」

うるさいんだ。その一言を飲みこむ。

「だって、巧、病人だもの。気をつかうのはあたりまえじゃない」

母の優《やさ》しさがうっとうしい。あけたままのドアの向こうに青波が立っていた。目が笑っているようだ。

(兄ちゃんの考えてることわかるよ)

そう言って笑っているようだ。

「父さん」

巧はベッドに起きあがった。

「だめだよ」

「は、何が?」

「絵はきれいだけど、ポスターって、もっと目立たなくちゃだめだと思うよ」

「そうか、そうかな」

「だめだよ」

ベッドからおりる。

「起きるの、巧、無理しないで」

真紀子の手を振りはらって立ちあがる。広が窓からの薄明《うすあか》りに、絵をかざし頷いた。

「じゃ、バックの色をぬりなおすか」

「赤がいいよ。熟《う》れたイチゴみたいな赤」

まだ身体に力が入らない。巧は、ゆっくりと足を前に出した。

10　おろち峠に向かって

次の朝、約束どおり、豪は十時前にむかえに来た。

「だいじょうぶか」

門のところで尋ねられて、巧は人さし指と親指で丸を作ってみせた。

「なおったよ」

熱は下がっていた。ただ、頭はまだ重い。食欲もなかった。けれど、ベッドに寝ころがっているより、青空の下にいたほうが、ましな気がした。雨があがった後の空は、引きこまれるように美しい色をしている。

「ねえ、ほんとにだいじょうぶなの？」

真紀子が出てくる。後ろに青波が立っていた。

「だいじょうぶだよ。青波、ついてくる気か？」

「行かないよ。ぼく、マサくんたちと遊ぶもの」

真紀子が振りむいて、青波に視線をおとす。

「あら、そうなの？　どこで？　あんまり、へんなとこ行っちゃだめよ。それに、暑くなったら帰ってこないと」

青波は答えず、身体《からだ》を軽《かろ》やかに翻《ひるがえ》し玄関《げんかん》の中に消えた。

「なんじゃ、ちょっと良くなったらもう、外出か」

青波と入れかわるように、洋三が出てくる。祖父の顔を久しぶりに見たような気がした。

昨日も今日も洋三だけは、巧の部屋に来なかったのだ。

「そうなのよ。無理しなくても……」

「無理なんかしてないよ」

豪の前で、無理、無理と言ってほしくない。巧は、自転車にまたがった。

「まあな、どこまでが無理か無理じゃないか、本人じゃないとわからんわな。それより、真紀子、巧のことなんかほっておいて、わしの手伝いをせえ」

「手伝いって、何を？」

「裏のアジサイが枯《か》れそうなんじゃ。枝をとって、さし木にしようと思うてな」

「やだ、アジサイって母さんの大好きだった花でしょ。枯らしたりしちゃだめよ」

「だから、枯らさんように、せわをしに行くんじゃ」

「だめよ。父さんに花のせわなんかできるもんですか」

「何を言《ゆ》うか。ばかもの、おまえこそ何もできんくせに」

　豪が顔をうつむけて、笑う。

「行こう」

　巧は、自転車を前に出した。まがり角のところで振りむくと、真紀子がひとり、門の外に立っていた。


　新田の駅の前には、満開の桜の木があった。散り始めている。わずかな風にも花びらが雪のようにまっていた。

　その木の下に、江藤や沢口、東谷がいた。

　江藤は、巧の顔を見て驚いたようだ。何度か瞬きをくりかえし、

「へえ」

と、ひとこと言った。

「江藤、むこうの中学にも野球部があるとええな」

　豪が話しかける。

「あっても、やらんと思うよ」

　江藤が答える。誰もが口をつぐむ。桜の木の下はしんと静まった。江藤の顔がゆっくり

上を向く。

「うん、なんじゃ？」

「寮《りょう》にな」

豪が聞きなおす。江藤の声は小さかった。

「寮に入らんといけんのじゃ。それがいちばん、嫌じゃ」

「ええ？　でも、おもろいかもしれんぞ」

沢口が言うと、江藤はふっと小さくため息をついた。

「ちょっとの間じゃったら、ええけどな。三年間じゃぞ。三年間も寮におらんといけん。嫌じゃなあ」

「みんな、お見送りありがとね」

柔らかな声がした。髪《かみ》の長い、白いワンピースの女の人が、両手に缶《かん》ジュースをかかえて立っていた。

「これ飲んでね。ほんとに、今日はありがとう」

巧の手に、冷たい缶ジュースがおしつけられた。きらいなグレープジュースだった。

一人ひとりに、ジュースをくばると、女の人は微笑んだ。

「さっ、彰《あきら》くん、行きましょう。もう時間じゃから」

彰くんと呼ばれて、江藤は足元のバッグを手に持った。荷物のぎっしりつまった重そうなバッグだった。そのときになって、巧はこの女の人が、江藤の母親だということに気がついた。意外だった。人形のようにひらひらとした優《やさ》しそうな人と、息子《むすこ》にポケベルを持たせて塾《じゅく》に行かせる親と、ふたつのイメージが結びつかない。

江藤と目が合う。その目が、にっと笑った。

「そうだ、ええものやるよ」

ポケットからこぶしを出し、巧に向ける。

「おれに？　何を？」

「ええから、手を出せって」

手のひらに、何かが落ちてくる。慌てて握った。

「ポケベルか」

小さな赤いポケベルだった。

「もう、いらんからやるよ」

「おれだって、いらないよ。こんなもの」

「マウンドの後ろにおいてな、ベルがなってもびっくりせんように、練習せえや」

「いらないよ」

「いらんかったら、すててくれ」

江藤が、唇をゆがめるようにして笑う。

「彰くん、早くせんと。時間がないのよ」

「わかっとるよ。じゃ、みんな、バイバイ」

「プラットホームまで、いっしょに行くで」

歩きだそうとする豪の胸を、江藤は手でおしかえした。

「いいよ、来なくてええ。来るなよ」

豪の大きな身体《からだ》が、わずかに揺れた。そうかと、頷く。

「じゃ、ここでバイバイじゃ」

「元気でな。夏休みには帰ってこいな」

「手紙は書かんけど、くれたら読むぞ」

巧は、ポケベルを手の上で転がす。深紅《しんく》の色があざやかだった。

風が吹いた。強い風。花びらが散る。目をつぶる。桜の匂いがした。梅ほどきつくない。柔《やわ》らかなかすかな甘い匂い。目をあけると、駅の入口に、江藤の姿はなかった。

「じゃ、行こうか」

豪が、缶ジュースを飲みほし、十メートルほど先のゴミ箱に向かって、投げた。

「ストライク」

東谷が、右手をあげて審判《しんぱん》のまねをする。

「じゃ、おれも」

沢口も投げる。カランと音がして、空き缶はきれいにゴミ箱におさまった。東谷も投げる。缶はゴミ箱のふちに当たり、中へと落ちていった。豪が口笛を吹く。

「うん、みんな、なかなかのコントロールじゃな。次、原田は?」

巧は黙っていた。

「どうした? おまえなら、大きすぎるぐらいのストライクゾーンじゃろ」

「あたりまえだよ、問題はその前」

「はん?」

「ジュースが飲めないんだよ」

巧は、ポケベルを握《にぎ》りしめた。

いらないいなら、すててくれ。

江藤は、そう言った。

一度、軽く放《ほう》りあげ、ポケベルをつかまえると、そのまま腕《うで》を後ろに引く。

深紅のポケベルは、ゴミ箱に、まっすぐすいこまれていった。

拍手《はくしゅ》する沢口と東谷に、豪が「あほ」と言った。

「こんくらいで拍手するな。ますます原田がいい気になる」

踏切《ふみきり》の警報機の音がした。かん高い、発車のベルが鳴り響《ひび》く。

「あっ、行こうぜ」

豪が、自転車にとびのる。巧も後にしたがった。駅前の広場を走りぬけ、線路づたいの小道に出る。タンポポの綿毛でびっしりと白い。道の横を青い車体の電車が通り過ぎて行った。江藤の姿が、二両目の窓にちらりと映った気がした。電車の過ぎた方向におろち峠が見える。あの斜面《しゃめん》の雪は、とっくに消えてしまっただろう。青い空と若葉色の山、そして、電車のまきおこした風に、高くまいあがる綿毛。四月の光の中で遠く去っていく電車の風景を、きれいだと感じた。豪が、おいと言った。

「みんな。これから、道具持って公園に行こうか」

「ああ、野球、しようぜ」

巧は背をのばし、深呼吸する。そして、おろち峠とまっすぐに向かい合った。

「さすが」

あとがきにかえて

『バッテリー』という作品が、児童文学という形で世に出たのは、一九九六年の暮れだった。ちょうど七年の年月がたった。この七年という時間の中に、何が存在したか。

酒鬼薔薇、九・十一テロ、アフガン、イラク、拉致《らち》、不況、倒産……十年以上を共に生きた愛犬と愛猫が死に、この晩秋、季節外れに大量の朝顔が庭に咲き狂った。私事はともかく、うねると言うよりのた打ち回るような歴史を経て、七年前、若い人々に向けて自らが書いた一冊の本と、改めて向かい合う機会を得た。

ゲラの形で読み返し、推敲《すいこう》し、書き足し、削りながら何度も何度も嘆息した。過去の作品と向かい合うことは、当時の若さを目の当たりにすることだ。つまり、作品の未熟さと稚拙さに度々赤面することであり、未熟さと稚拙さが薄れ、多少とも文章がこなれていく過程で、書き手としての自身が、いかに書くことへの真摯《しんし》さと緊張を失ってしまっていたかを突きつけられることだった。

一九九七年七月、当時十四歳の少年が連続児童殺傷事件の容疑者として逮捕された後も十代の少年による凶悪犯罪が次々と報じられ、メディアの俎上《そじょう》に上るようになった。識者が政治家が心理学者が教育者が、それぞれに少年の心を解析し、論じ、対処しようとする。

十代の少年二人を息子として抱えていたわたしは、ご多分に洩《も》れずうろたえ、息子の様子をおろおろと観察し、「まさかねぇ、うちの子に限ってね」「そういうのが、一番危いって。そういえば、このごろ、うちの子の目つきが険しくなったような……」「そうそう、学校のこととか、ほとんどしゃべらなくなって、素直に返事とかもしないし」などと、母親仲間と嘆きあったりもした。その渦の中で、未熟ながらもまだ若かった感性が、微《かす》かな異議を唱えたのだ。そうなのか本当に……おまえが捉《とら》えようとした少年は、心に無明の闇を抱き、ポケットに凶器を忍ばせた存在なのか。罰する対象、恐れる対象としかならない者たちなのか……そうなのか本当に……いや、違う、明らかに違う。なら、おまえの書きたかった者は誰だ……わたしの書きたかった者は……

傲慢《ごうまん》、脆弱《ぜいじゃく》、一途《いちず》、繊細、未熟、無神経、思考力、希求の想い、惑う心……悪とか善とかに簡単に二分されないすべてを含んで、屹立《きつりつ》するたった一人の少年ではなかったのか。

そこに引きずり戻され、わたしは、七年間、もたもたと『バッテリー』という物語とかかわり続けてきた。自分の感性を信じたかった。女の（しかもかなりの年齢の）わたしが、若い異性に感じた十代ゆえの眩《まばゆ》さを信じたかった。ただ十代であるというその一点の他に、何の条件も無く、少年であるがゆえに発光するものを信じたかった。それを捉えた自分の感性を否定したくなかったのだ。捉えたものを表現したかった。その表現が、『十四歳の闇』を盛んに論じ、定型へと囲い込もうとするものへの、異議申し立てになりはしまいかと、臆病《おくびょう》な自負をぶらさげていた。

そう、わたしは、生の身体と精神を有するたった一人の少年を生み出したかったのだ。自分自身という個に徹底的に拘《こだわ》る身体と精神。自分の感じたことを自らの言葉で真っ直ぐに表現することも、自分の表現や言葉を自らが引き受けて生きることも、この国では歓迎されない。むしろ、忌み嫌われる。それが『子ども』と呼ばれる領域にいて、協調のみを尊び、個よりも集団をはるかに重視する学校体育という制度内に生きねばならない者ならなおさらだ。わたしは、運動能力に恵まれず、他の資質にも乏しく、強靭《きょうじん》な意志も屈せざる精神も持たず、ささやかな抵抗と挫折と服従の繰り返しの中で、思春期と呼ばれる時を生きてしまった。押し付けられた少女の定型から抜け出せず、苦しくて堪《たま》らなかったのに、抜け出すことが怖くて定型の枠にしがみついていたのだ。いつか飛んでやると飛翔《ひしょう》の夢を抱きつつ、自らの翼の力を信じきることができなかったのだ。

だから、書きたかった。

自分を信じ、結果のすべてを引き受ける。そういう生き方しかできない少年をこの手で、書ききってみたかった。そういう少年を学校体育という場に放り込んでみたかった。大人やチームメイトや仲間やかけがえのない相手によって変化し生き延びるのではなく、周りと抗《あらが》いそれを変化させ、押し付けられた定型の枠を食い破って生きる不羈《ふき》の魂を一つ、書きたかったのだ。十代の身体と精神は、奥深く普遍としてその力を宿している。だからこそ発光する。闇の底から光るのだ。

彼はマウンドに立ち、一球を放つ。そこにある感覚が鼓動が風の音が舞い立つ砂粒がぎらつく太陽の光が指先の熱さが、投げる快楽がすべてなのだ。彼は、他者の押し付ける物語を拒否する。友情の物語、成長の物語、闘争の物語、あらゆる予定調和の物語を拒んで、マウンドという場所に立つ。

他人の物語の中で人は生きられない。生きようとすれば、自らを抑え込むしかないのだ。定型に合わせて、自らを切り落とさなくてはならない。自らの口を閉じ、自らの耳を塞《ふさ》ぐ。自らの言葉を失い、自らの思考を停滞させる。この国に溢《あふ》れているそんな大人のわたしも一人だ。自分の身体を賭《か》けて、言葉を発したこともなく、発した言葉に全力で責任を負おうとしたこともなかった。賢《さか》しらな、毒にも薬にもならない、つまり誰も傷つけないかわりに自分も傷つかない萎《な》えた言葉を撒《ま》き散らして生きてきた。

それでも、この一冊を書き上げたとき、わたしはマウンドに立っていた。異議申し立てをするために、自分を信じ引き受けるために、定型に押し込められないために、予定調和の物語を食い破るために、わたしはわたしのマウンドに立っていたのだ。

そして七年。文章が巧みになり、盛り上げ方を覚え、依頼枚数に作品を合わせるコツを飲み込み、生きてきた。弛緩《しかん》である。自身の弛緩さえ自覚できないほどに緩んでいた。

この国の、時代の、人間の危機にさえ、しかとは気づかないほどに鈍磨した感覚を一から研ぎ直したい。少年と共に、もう一度、抗う力を獲得したい。自分の言葉を取り戻したい。今、そう思う。『バッテリー』という作品は、わたしにとってそのようなものであり得たのだ。瑕疵《かし》の多い作品である。何度でも言う。未熟で稚拙な作品だ。それでも、改めて意を定める。この作品が受ける批判も嘲笑《ちようしよう》も、真正面から受け止めようと。目を逸《そ》らすことも、聞こえないふりをすることも止めよう。書き手としての、わたしの原点がここにあるのだ。ならば、そこから出発してみよう。

出発点に引きずり戻し、自分への問い直しの機会を与えてくれた角川書店編集部の岡山智子さんに心よりの感謝を、『バッテリー』の世界を共有しつつ、今回もまた、彼女独自の原田巧を生み出した佐藤真紀子さんに畏敬《いけい》の念を抱きつつ。

あさの　あつこ

解説

三浦しをん

野球というのは、不思議なスポーツだ。

プロ野球や高校野球のテレビ中継を見ていると、ピッチャーの背中とバッターとキャッチャーしか、ほとんど映らない。「野球はチームプレーだ」と言われるが、それって本当かな？　と思う。

だいたい、スポーツのわりには、試合中に休んでる人間が多すぎるではないか。攻撃中のチームは、満塁のときでさえ、四人しか試合に参加していないことになる。チームの過半数が、ベンチに座って出番を待ってるのだ。守備中のチームに至っては、恒常的に活動しているのはピッチャーとキャッチャーの二人のみ。あとは、「球が来ないといいなあ」と思いながら、ボーっと立っている（ように見える）。「九人対九人の戦い」では、全然ない。

ピッチャーの投げた球がバッターに打たれてはじめて、野球は「チームプレー」になるのではないか。ピッチャーの心情としては、野球は常に、バッターと一騎打ちをする「個人的決闘」と認識されているんじゃないか。マウンドに一人で立つピッチャーの後ろ姿を見るたびに、私はそう感じる。

「ピッチャーの前には頼もしきキャッチャーが、ピッチャーの背後には信頼のおける七人の仲間が、ちゃんといるではないか。彼らが支えているからこそ、ピッチャーは思いきり投げられるのだ」

と、おっしゃる方もいるだろう。もちろん、そのとおりではある。しかしたとえば、ワンアウト一、二塁で、敵の強打者をバッターボックスに迎えた局面において、マウンド上のピッチャーよりも心拍数の上がっている外野手って、はたして存在するのだろうか？

私はごくごくたまに、球場でプロ野球の試合を見るのだが、応援席からはマウンドがはるかに遠い。目の前には、外野手の背中がある。そこで必然的に、外野手をじっくりと眺めることになるのだが、ピッチャーがキャッチャーの指示に首を振ったり、心を落ち着かせるために足もとをならしたりしているあいだ、彼らはわりとリラックスしているようだ。さすがに、応援席に可愛い子がいないかチェックしてるような人はいないが、マウンド周辺の緊迫感とは、明らかに違うムードを醸し出している。

外野手のみなさんは、「踏ん張れよ、ピッチャー。信頼してるぜ。ま、もし打たれて球がこっちに来たら、俺も全力を尽くして捕球するにやぶさかではないが」ぐらいに考えてるんじゃなかろうか。いやいや、べつに外野手を責めてるわけじゃない。ただ、ピッチャーとその他の人間とのあいだには、精神のありように大きな違いがある、と言いたいのだ。守備にあたるチームの、ピッチャーを除く八人は受け身で球を待ちかまえているが、ピッチャーは「打たせない」という攻め気の姿勢で球を扱わねばならない。

だから私は、「麗しき仲間愛」という方向から描かれた野球には、全面的には賛成しかねる。

『バッテリー』は、驚異的なまでの投手の才能を持つ中学生、原田巧が主人公の、野球少年たちの物語だ。（本作ではまだ、中学入学前の春休みである）

巧は、一家で引っ越した山間《やまあい》の小さな町で、自分の剛速球を受け止められるキャッチャー、永倉豪に出会う。豪によって、同じ中学で野球をやっていく仲間にも紹介され、巧の新しい生活がはじまるのだった……。

と書くと、「みんなで励ましあったり喧嘩《けんか》したりしながら、野球に打ち込む話」のように思えるが、そうじゃないのが『バッテリー』のすごいところだ。

この物語は、天才的な投球力を持つ巧に力点が置かれている。投手になるべくして生まれてきたような巧には、協調性はほとんど皆無だ。巧は、「野球の好きな少年」などというなまぬるい存在ではない。十二歳の彼にはすでに、はっきりと投手としての矜持《きょうじ》があり、誇り高く、周囲の少年たちから浮いてしまうほど、野球に対して厳しくストイックだ。

巧は、豪や家族に対してさえも、なれあいを嫌い、孤高を保っている。巧の女房役である豪は、そんな巧を理解しようと努めると同時に、巧の才能にひけをとらないキャッチャーになろうとしている。巧の弟の青波は病弱なのだが、兄の姿に憧《あこが》れ、巧のように野球をしたいと願っている。

　だれかの人生を変えるほどの輝きを持った、天才的な投手の巧。物語は丁寧に、巧とその周囲の人間の心情を描き、才能とは、努力とは、家族とは、協調性を一番に考える学校教育とは、そして、野球とはなんなのか、を真摯《しんし》に問いかける。

『バッテリー』は、これまで多数あった「スポ根」物とは、明らかに違う。「スポ根」は、「努力すれば報われる」という考え方に依拠している。世の中には「努力神話」が歴然とあって、その代表が学校教育だろう。努力すれば成績が上がる。努力すれば運動ができるようになる。自分自身のために努力しなさい。しかし、それは実は非常にむなしいことなのではないか、と私は思う。努力したら、だれでもアインシュタインやオリンピックの金メダリストになれるかといったら、当然、そうではないのだから。

　ある種の才能を持って生まれた人は、確実に存在する。そして、特に目立った才能を持たずに生まれた人が、大多数なのだ。だから才能を持ってない人間は諦《あきら》めろ、と言ってるわけではない。才能の有無、つまり、なにかをできるかできないかに、価値の基準を置くことはむなしい、ということだ。努力すれば何事も成し遂げられるかのように、子どもたちを錯覚させ、けしかけるのは残酷だ、ということだ。

『バッテリー』において、巧の天才ぶりは際立っている。技術的にも精神的にも、巧はまわりの少年とはまったく違う次元にある。才能を持たない人間には垣間見《かいまみ》ることもできない高みを、感覚のすべてで感じとることができる。それでも、巧に悩みや苦しみがないわけでは決してない。

また、巧の才能を目の当たりにした豪やまわりの大人たちは、だからといって卑屈にはならない。じゃあ自分にできることはなんなのか、と考え、自分自身の目標を立てる。天才ゆえに視野狭窄《きょうさく》気味の巧に、反発を覚えることがあっても、助言したり支えたりする。

この作品は、児童書として書かれた。しかし、「子どもが読むものだから」といって、安易に努力の崇高さや仲間の大切さを説くようなことはしていない。

巧はどこまでいっても、「俺様天下一」な孤高の天才である。登場人物はみんな悩み、迷い、「なれあって仲良くチームプレー」なんて、程遠い状態にある。だけど私は、それこそが真実の意味でのスポーツのあり方ではないかと思う。だからこそ、それでもたしかに、だれかの心に触れられたと感じる瞬間、自分は一人ではないのかもしれない、と感じられる一瞬のきらめきが、貴く美しいのだ。

日常生活でも同じことだ。いつでも汗にまみれて一体感を味わい、問題が起きたときは血の涙を流しながら拳《こぶし》をふるって、「おまえの真意はしっかと受け止めた!」と抱き合いめでたく解決、などということはありえない。才能の有無や、目指すものの方向性にかかわらず、私たちは日々、悩んだり迷ったりしながら、少しずつ手探りで進むしか方法がない。まわりの人たちとのあいだに発生する、ほのかな熱を心に感じとりながら。

『バッテリー』は、子どもを子ども扱いしない。登場する少年たちは、プライドと意志を持ち、あれこれ考えながらなにかを掴《つか》みとろうとする、独立した一人の人間として描かれている。だから、時として物語の展開は少年たちに対して冷酷であり、主人公の巧に対してさえ、「こいつとは友だちになりたくない」と読者に思わせる瞬間があるのだ。

しかし読み進むうちにきっと、自分が手に汗をかいて物語に夢中になっていることに気づくだろう。読みながら、「どうしてこう、物事はままならないんだー！」と深夜に叫んだり、「巧！　おまえはもうちょっと妥協という言葉を知れ！」と言いつつも彼を必死に応援しちゃったり、すっかり『バッテリー』の魅力の虜《とりこ》になっている自分に気づくだろう。

野球観戦するとき、みんなが、ピッチャーの一挙手一投足に、ピッチャーの手から離れる球に、固唾《かたず》を呑《の》んで注目する。しかし、どれだけ多くの人がまわりにいても、ピッチャーはマウンドで一人だ。ピッチャーとはもしかしたら、野球を目にするすべての人たちの姿なのかもしれない。どうすればいいか、方法を提案してくれる人はいる。いざというときに助けようと、後ろにいてくれる人も、応援の声を送ってくれる人もいる。だけど、どうしたって自分は一人なのだ。その孤独。その自由。さびしいけれど、胸は高鳴る。

このすぐれた青春小説が、今回、手にとりやすい文庫の形でお目見えしたことを、心の底から喜びたい。これを機会に多くの人が、児童書という言葉でくることのできない、『バッテリー』の魅力にお気づきになられることと思う。

本書は平成八年十二月、教育画劇より刊行された単行本を文庫化したものです。

バッテリー

あさのあつこ

平成15年 12月25日　初版発行
令和6年 9月25日　85版発行

発行者●山下直久

発行●株式会社KADOKAWA
〒102-8177　東京都千代田区富士見2-13-3
電話　0570-002-301（ナビダイヤル）

角川文庫 13180

印刷所●株式会社KADOKAWA
製本所●株式会社KADOKAWA

表紙画●和田三造

●お問い合わせ
https://www.kadokawa.co.jp/（「お問い合わせ」へお進みください）
※内容によっては、お答えできない場合があります。
※サポートは日本国内のみとさせていただきます。
※Japanese text only

ISBN978-4-04-372101-6　C0193

◆◇◇

角川文庫発刊に際して

角川源義

第二次世界大戦の敗北は、軍事力の敗北であった以上に、私たちの若い文化力の敗退であった。私たちの文化が戦争に対して如何に無力であり、単なるあだ花に過ぎなかったかを、私たちは身を以て体験し痛感した。西洋近代文化の摂取にとって、明治以後八十年の歳月は決して短かすぎたとは言えない。にもかかわらず、近代文化の伝統を確立し、自由な批判と柔軟な良識に富む文化層として自らを形成することに私たちは失敗して来た。そしてこれは、各層への文化の普及滲透を任務とする出版人の責任でもあった。

一九四五年以来、私たちは再び振出しに戻り、第一歩から踏み出すことを余儀なくされた。これは大きな不幸ではあるが、反面、これまでの混沌・未熟・歪曲の中にあった我が国の文化に秩序と確たる基礎を齎らすためには絶好の機会でもある。角川書店は、このような祖国の文化的危機にあたり、微力をも顧みず再建の礎石たるべき抱負と決意とをもって出発したが、ここに創立以来の念願を果すべく角川文庫を発刊する。これまで刊行されたあらゆる全集叢書文庫類の長所と短所とを検討し、古今東西の不朽の典籍を、良心的編集のもとに、廉価に、そして書架にふさわしい美本として、多くのひとびとに提供しようとする。しかし私たちは徒らに百科全書的な知識のジレッタントを作ることを目的とせず、あくまで祖国の文化に秩序と再建への道を示し、この文庫を角川書店の栄ある事業として、今後永久に継続発展せしめ、学芸と教養との殿堂として大成せんことを期したい。多くの読書子の愛情ある忠言と支持とによって、この希望と抱負とを完遂せしめられんことを願う。

一九四九年五月三日

角川文庫ベストセラー

晩夏のプレイボール　あさのあつこ

「野球っておもしろいんだ」――甲子園常連の強豪高校でなくても、自分の夢を友に託すことになっても、女の子であっても、いくつになっても、関係ない……野球を愛する者、それぞれの夏の甲子園を描く短編集。

きみが見つける物語　十代のための新名作　スクール編　編／角川文庫編集部

小説には、毎日を輝かせる鍵がある。読者と選んだ好評アンソロジーシリーズ。スクール編には、あさのあつこ、恩田陸、加納朋子、北村薫、豊島ミホ、はやみねかおる、村上春樹の短編を収録。

きみが見つける物語　十代のための新名作　放課後編　編／角川文庫編集部

学校から一歩足を踏み出せば、そこには日常のささやかな謎や冒険が待ち受けている――。読者と選んだ好評アンソロジーシリーズ。放課後編には、浅田次郎、石田衣良、橋本紡、星新一、宮部みゆきの短編を収録。

きみが見つける物語　十代のための新名作　休日編　編／角川文庫編集部

とびっきりの解放感で校門を飛び出す。この瞬間は嫌なこともすべて忘れて……読者と選んだ好評アンソロジーシリーズ。休日編には角田光代、恒川光太郎、万城目学、森絵都、米澤穂信の傑作短編を収録。

きみが見つける物語　十代のための新名作　友情編　編／角川文庫編集部

ちょっとしたきっかけで近づいたり、大嫌いになったり。友達、親友、ライバル――。読者と選んだ好評アンソロジー。友情編には、坂木司、佐藤多佳子、重松清、朱川湊人、よしもとばななの傑作短編を収録。

角川文庫ベストセラー

きみが見つける物語　十代のための新名作　恋愛編

編／角川文庫編集部

はじめて味わう胸の高鳴り、つないだ手。甘くて苦かった初恋――。読者と選んだ好評アンソロジーシリーズ。恋愛編には、有川浩、乙一、梨屋アリエ、東野圭吾、山田悠介の傑作短編を収録。

きみが見つける物語　十代のための新名作　こわ～い話編

編／角川文庫編集部

放課後誰もいなくなった教室、夜中の肝試し。都市伝説や怪談――。読者と選んだ好評アンソロジーシリーズ。こわ～い話編には、赤川次郎、江戸川乱歩、乙一、雀野日名子、高橋克彦、山田悠介の短編を収録。

きみが見つける物語　十代のための新名作　不思議な話編

編／角川文庫編集部

いつもの通学路にも、寄り道先の本屋さんにも、見渡してみればきっと不思議が隠れてる。読者と選んだ好評アンソロジー。不思議な話編には、いしいしんじ、大崎梢、宗田理、筒井康隆、三崎亜記の傑作短編を収録。

きみが見つける物語　十代のための新名作　切ない話編

編／角川文庫編集部

たとえば誰かを好きになったとき。心が締めつけられるように痛むのはどうして？　読者と選んだ好評アンソロジー。切ない話編には、小川洋子、萩原浩、加納朋子、川島誠、志賀直哉、山本幸久の傑作短編を収録。

きみが見つける物語　十代のための新名作　オトナの話編

編／角川文庫編集部

大人になったきみの姿がきっとみつかる、がんばる大人の物語。読者と選んだ好評アンソロジーシリーズ。オトナの話編には、大崎善生、奥田英朗、原田宗典、森絵都、山本文緒の傑作短編を収録。

角川文庫ベストセラー

不思議の扉 時をかける恋 編／大森 望

不思議な味わいの作品を集めたアンソロジー。ひとたび眠るといつ目覚めるかわからない彼女との一瞬の再会を待つ恋……梶尾真治、恩田陸、乙一、貴子潤一郎、太宰治、ジャック・フィニィの傑作短編を収録。

不思議の扉 時間がいっぱい 編／大森 望

同じ時間が何度も繰り返すとしたら？ 時間を超えて追いかけてくる女がいたら？ 筒井康隆、大槻ケンヂ、牧野修、谷川流、星新一、大井三重子、フィッツジェラルド描く、時間にまつわる奇想天外な物語！

不思議の扉 ありえない恋 編／大森 望

庭のサルスベリが恋したり、愛する妻が鳥になったり、腕だけに愛情を寄せたり。梨木香歩、椎名誠、川上弘美、シオドア・スタージョン、三崎亜記、小林泰三、万城目学、川端康成が、究極の愛に挑む！

不思議の扉 午後の教室 編／大森 望

学校には不思議な話がつまっています。湊かなえ、古橋秀之、森見登美彦、有川浩、小松左京、平山夢明、ジョー・ヒル、芥川龍之介……人気作家たちの書籍初収録作や不朽の名作を含む短編小説集！

RDG レッドデータガール はじめてのお使い 荻原規子

世界遺産の熊野、玉倉山の神社で泉水子は学校と家の往復だけで育つ。高校は幼なじみの深行と東京の鳳城学園への入学を決められ、修学旅行先の東京で姫神という謎の存在が現れる。現代ファンタジー最高傑作！

角川文庫ベストセラー

サッカーボーイズ　再会のグラウンド　はらだみずき

サッカーを通して迷い、傷つき、悩み、友情を深め、成長していく遼介たち桜ヶ丘FCメンバーの小学校生活最後の1年と、彼らを支えるコーチや家族の思いをリアルに描く、熱くてせつない青春スポーツ小説！

サッカーボーイズ 13歳　雨上がりのグラウンド　はらだみずき

地元の中学校サッカー部に入部した遼介は早くも公式戦に抜擢される。一方、Jリーグのジュニアユースチームに入った星川良は新しい環境に馴染めずにいた。多くの熱い支持を集める青春スポーツ小説第2弾！

サッカーボーイズ 14歳　蝉時雨のグラウンド　はらだみずき

キーパー経験者のオッサがサッカー部に加入したが、つまらないミスの連続で、チームに不満が募る。14歳の少年たちは迷いの中にいた。挫折から再生への道とは……青春スポーツ小説シリーズ第3弾！

ロマンス小説の七日間　三浦しをん

海外ロマンス小説の翻訳を生業とするあかりは、現実にはさえない彼氏と半同棲中の27歳。そんな中ヒストリカル・ロマンス小説の翻訳を引き受ける。最初は内容と現実とのギャップにめまいものだったが……。

月魚　三浦しをん

『無窮堂』は古書業界では名の知れた老舗。その三代目に当たる真志喜と「せどり屋」と呼ばれるやくざ者の父を持つ太一は幼い頃から兄弟のように育つ。ある夏の午後に起きた事件が二人の関係を変えてしまう。